ぼくはザ・クラッシュが好きすぎて世界中からアイテムを集めました。

高橋浩司 THE CLASH コレクション

DONUT MOOK

目次

※本文に掲載したすべての写真は高橋浩司所有のアイテムを撮影したものです。

プロローグ

ジョー・ストラマーと著者／2001年11月5日

ザ・クラッシュとの出会いは中学のときでした。音楽にくわしい友達がいてミュージック・ライフを読むようになって。その友達から「クラッシュってすごくかっこいいよ」と言われたときに、たぶん、図書館でアルバムを借りてカセットテープに録音して聴いたのがきっかけだと思います。

　最初に聴いたのはアメリカ盤の『白い暴動』ですね。そこに「クラッシュ・シティ・ロッカーズ」という曲が入っていて、1番のサビが終わったあとに、ジョー・ストラマーが「イエー、イエー」って言うんですけど、それを聴いた瞬間にかっこよくて鳥肌が立ちました。「かっこよくて鳥肌が立つことなんてあるんだ!?」と思ったときから現在に至るという感じですね。その瞬間は今でもはっきりと覚えています。

　それでもうクラッシュに撃ち抜かれて、のめり込んで、『白い暴動』ばかりずっと聴くようになりましたね。しばらく他の音楽を聴いてなかったんじゃないかな。

　クラッシュの音楽はシンプルだったんですよね。当時ロックというとテクニック重視というか。中学のときもディープ・パープルとかそういうのが流行っていて、ギターが上手いからとかドラムが上手いからという基準で音楽を聴いていたような気がするんです。歌が上手いとかね。だけどクラッシュはそういうことじゃなかった。自分にもできそうだなっていう演奏だったんです。音楽を聴いてそう思ったのは初めてだったかもしれないですね。演奏できそうにないからその憧れで音楽を聴いていたわけですからね。クラッシュは初めて聴いた等身大の音楽でした。

　ただものすごく後追いなんです。そのとき1977年とか1979年の音楽を聴いているわけですから。ぼくは1967年生まれなので、初めてクラッシュを聴いたのが1981年とか1982年。ちょうどクラッシュの初来日公演のときでしたからね。

　中学の頃は1枚目ばかり聴いていたんですが、高校に行ってから初めてパンクを好きな友達ができて。その友達から「クラッシュは他にもいいアルバムがいろいろあるよ」と教えてもらって、他のアルバムも聴くようになりました。他のアルバムもシンプルだけどかっこよかったです。それでバンドをやりたいと思うようになったんです。

その当時はクラッシュとアースシェイカーのコピーを同時にやったりしていました。ハードロックを聴いている人はパンクを聴いちゃ駄目とか、パンクを聴いている人はハードロックを聴いちゃ駄目っていう人もけっこういたので、こそこそ聴いていたときもありました。パンクも好きなんだけどハードロックもかっこいいところがあるんだよなという感じで。

　話が少しそれましたけど、自分たちでバンドでやってみても、クラッシュの曲は演奏できるんですよ。しかも意外にも本人っぽくできるという。そこにちょっと感動しましたね。バンドでコピーしたことがクラッシュにのめり込むきっかけでもあったかもしれないですね。

　1982年のクラッシュの来日公演は見ていないんです。「あー、今、ここでクラッシュがやってるのか」って渋谷公会堂の前まで行ったのは覚えてるんですよ。というのもぼくは地元が渋谷で、毎日のように渋谷公会堂辺りを歩いて通学していたんです。それでミュージック・ライフかなんかを読んで「今、クラッシュが来てるんだな」と思って、とりあえず会場の様子を見に行きました。中学生のぼくがやれたことってそこまでだったんです。当時はコンサートを見るという習慣がまだなかったし、チケット代も3900円くらいだったんで、中学生には買えなかったというのもあるんですよね。もしもぼくがそのとき16〜7歳だったら3900円出せてたかなと思うんです。チケットを取るためにいろいろ努力もしたと思うんです。でも年齢的に考えたら、そこまで意地を張るには子供すぎたんですね。それにコンサートは大人が行くものみたいな感覚があったんだと思います。洋楽のコンサートなんかとくにそんな感じでした。

　来日公演を見られなかったことがクラッシュのアイテムをコレクションする原動力になっているのかもしれません。だいぶあとになって、コンサートに行った人と話すじゃないですか。「ぼくね、当時、来日公演を見てるんだよね」と言われたときのなんとも言えない敗北感。その人に出会った瞬間はプラスの感情でも来日公演の話をされたときには負の感情がマックスになるという（笑）。「うわー、やっぱり来日公演を見た人が実在するんだなあ」と。だからもうそこには深い溝があると思っています（笑）。究極にうらやましいという。ぼくは映像で後追いするしかなかったから。おそらくぼくのコレクターとしての根本はそこにあるんだと思います。見た人と見てない人は決定的に違うと

ぼくは思ってるんで、そこのコンプレックスの反動がアイテム収集の原動力になっているのは間違いないですね。コンサートを見られなかったことが現在につながったから結果オーライなんですけど。

　クラッシュが『コンバット・ロック』以降もバンドを続けていれば見られたんでしょうけどね。『コンバット・ロック』以降にバンドがだんだん崩壊していったのは、本人たちも誤算だったと思うんですよ。だから来日公演のタイミングはクラッシュが一番かっこいい時期だったんですよね。あの当時、どれくらいかっこいいかというのは後追いで映像を見ているのでわかってるんですけど、「あれを生で見た人がいるのかあ」と。だから何度も言いますが、今コレクションに走っているのはもう復讐に近いものがありますね（笑）。

　本格的にクラッシュのアイテムを収集し始めるのが大学くらいからですかね。全部のクラッシュのアルバムを聴いて「やっぱりぼくは本気でクラッシュが好きだぞ」と思って。もともとぼくは映画のチラシを集めるのがすごく好きで、自分にコレクター癖があるのはわかっていたんですよ。

　きっかけは『パール・ハーバー'79』です。アメリカ編集盤に日本独自のスリーブを付けたものなんですけど、そのとき「クラッシュのファーストアルバムにもいろいろ種類があるんだ？」と思って買い始めたのがきっかけですね。同じものでも違う種類があるという。2枚目の『動乱』も日本盤と海外盤はクラッシュの文字のフォントが違うとか。とはいえ、当時はインターネットがなかったので、レコード屋さんで出会って初めて気づくんです。「あれ、これ、前に見たやつと違うな」って。この世の中には自分の知らないクラッシュのレコードがたくさんありそうだぞと。まずは日本盤でオリジナルのレコードを揃えて、次に輸入盤にいくという感じで徐々にエスカレートしていきました。

第1章：アルバム編

　　ザ・クラッシュのレコードを集めたいと思ったのは、アルバムがオリジナル以外にもかっこいいものがあるとわかったのが大きいですね。オリジナルのジャケットがかっこよかったりするのはもちろんですが、例えば海賊盤にもかっこいいものがあるんですよ。そうすると迷わず買っていました。とにかくクラッシュはデザインがかっこいいものが多いんです。だから探すというよりも目についたものを買っていきました。

『白い暴動』(The Clash) UKオリジナル盤

1977年4月8日 英国リリース

1. ジェニー・ジョーンズ Janie Jones　2. リモート・コントロール Remote Control　3. 反アメリカ I'm So Bored with The U.S.A.　4. 白い暴動 White Riot　5. 憎悪・戦争 Hate＆War　6. ワッツ・マイ・ネイム What's My Name　7. 否定 Deny　8. ロンドンは燃えている! London's Burning　9. 出世のチャンス Career Opportunities　10. ペテン Cheat　11. 反逆ブルー Protex Blue　12. ポリスとコソ泥 Police＆Thieves　13. 48時間 48 Hours　14. ガレージランド Garageland

『白い暴動』（The Clash）US盤

1979年7月23日 米国リリース

1. クラッシュ・シティ・ロッカーズ Clash City Rockers　2. 反アメリカ I'm So Bored with The U.S.A.　3. リモート・コントロール Remote Control　4. コンプリート・コントロール Complete Control　5. 白い暴動 White Riot　6. ハマースミス宮殿の白人（White Man）In Hammersmith Palais　7. ロンドンは燃えている! London's Burning　8. アイ・フォート・ザ・ロウ I Fought The law　9. ジェニー・ジョーンズ Janie Jones　10. 出世のチャンス Career Opportunities　11. ワッツ・マイ・ネイム What's My Name　12. 憎悪・戦争 Hate & War　13. ポリスとコソ泥 Police & Thieves　14. ジェイル・ギター・ドアーズ Jail Guitar Doors　15. ガレージランド Garageland

ザ・クラッシュのファーストアルバム『白い暴動』は初期衝動のかたまりですよね。短い曲が並んでいるので初めて聴くパンクのアルバムとしてはUK盤がいいんじゃないかと思います。あと「パンクって何？」「パンクとはどんな音楽？」「どんな楽曲をパンクっていうの？」と言われたときに、一番わかりやすいのは『白い暴動』のUK盤じゃないかなと。

　例えばラモーンズもパンクの代表バンドとして存在していますが、彼らはポップでパンクなんだけど反社会的なことを歌ってるわけではないですよね。「FUN」というのが一番重要視されていますよね。クラッシュの場合は「RIOT」という言葉だったり、抵抗とかアンチテーゼとか、そういう歌詞やジャケットアートもふくめて、一番わかりやすくパンクのイメージを伝えていると思います。

　あとパンクというとセックス・ピストルズという印象が強いと思うんです。たしかにクラッシュもピストルズに影響を受けたり、先人たちが始めたパンクシーンがあったからこそ誕生したバンドだとは思うんです。ところがセックス・ピストルズの音楽は演奏してみると意外と難しいんですよ。ああいう感じにはなるんだけど、なんかちょっと違うってなる。誰でもできそうなんですけど、意外とギターソロがしっかりしていて楽曲の完成度も高かったりするんです。ピストルズは楽曲が短くないんですよね。その点、クラッシュはベースもアバウトだし、演奏自体もとっつきやすい。楽曲も短いんですよ。だから全世界的にミュージシャンへの門を開いたのはクラッシュの音楽なんじゃないかなと。ぼくもふくめこの『白い暴動』で勇気づけられてミュージシャンになった人は多いんじゃないかな。それがクラッシュのファーストアルバムの最大の功績じゃないかなとも思うんですよね。

　ただぼくが最初に聴いたのはUS盤のほうなんです。なぜかと言うとやっぱり収録曲がよかったんですよね。「ハマースミス宮殿の白人」と「クラッシュ・シティ・ロッカーズ」はUK盤には入ってないんですよ。「ハマースミス宮殿の白人」はレゲエナンバーで、パンクを聴こうと思って『白い暴動』を聴いた人は最初、戸惑うと思うんですけど、最後には楽曲の良さでもっていかれると思います。そういう意味ではクラッシュってパンク以外のジャンルの音楽に触れるきっかけでもあるんです。それによって、逆にパンクって奥が深いんだなって思わせてくれるというか。ストレートにパンクを聴きたければUK盤を、

パンクの奥深さを知りたければUS盤を聴くのがいいと思います。

　だから一概に「クラッシュのファーストいいよね」とは言えないんですよ。「パンクを聴きたいんならUK盤がいいよ」ってわざわざ言わないといけない。UK盤とUS盤では曲順も印象も音質も違いますからね。「マニアだからUS盤だ、UK盤だって言うんだよね？」とよく言われるけれどそうじゃないんですよ。

　実はUK盤にも「ポリスとコソ泥」というレゲエナンバーが入っているんですけど、同じレゲエでも「ポリスとコソ泥」は初期衝動のままレゲエをやっているんです。「ハマースミス宮殿の白人」とはそもそもレコーディング時期も違うんですが、音質も違うんですよ。UK盤からUS盤がリリースされるまで2年が空いているんですが、レコーディングはもうちょっと前にやっていたとしても、やっぱりその期間でいろいろな音楽を聴いた上でレゲエを取り込んだんだと思うんです。だからすごくリアリティがあるんですよね。つまり、ある程度、音楽をわかった上でトライしたのが「ハマースミス宮殿の白人」で、そうなるとやっぱりレゲエとして熟成しますよね。もちろん初期衝動ということで言えば「ポリスとコソ泥」のほうがすごいですけどね。曲のクオリティで言ったら「ハマースミス宮殿の白人」のほうが圧倒的にすごいなと思います。

　「ハマースミス宮殿の白人」と「クラッシュ・シティ・ロッカーズ」が入っているからぼくのなかではUS盤のファーストが最高なんですよ。クラッシュの楽曲のなかでも「クラッシュ・シティ・ロッカーズ」はすごく完成度の高い曲だと思うし。

　クラッシュはUK盤からUS盤の間にものすごく成長しました。だから最初にUS盤を聴いた人とUK盤を聴いた人ではまったくバンドの印象が違うんですよね。UK盤には名曲がたくさん入っているし、好きじゃなきゃいけないという強迫観念もあるし（笑）、初期衝動としての評価はあるけど、やっぱりUS盤を聴いちゃうと、音質も曲順もUS盤のほうがいいなと思うんですよね。そういう意味ではクラッシュのファーストって、罪作りですよね。2種類のファーストが存在することで、どちらを聴いたかでクラッシュに対する印象が違うんですから。

01：『白い暴動』（日本）

02：『白い暴動』（日本）

03：『白い暴動』UK初回盤と「Capital Radio EP」とNMEのクーポン券

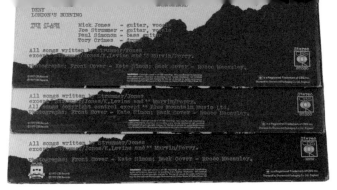

DENY
LONDON'S BURNING

THE CLASH   Mick Jones - guitar, voca
            Joe Strummer - guitar, vocals
            Paul Simonon - bass guita
            Tory Crimes -

All songs written by Strummer/Jones
except Strummer/Jones/K.Levine and " Marvin/Perry.

Photographs: Front Cover - Kate Simon; Back Cover - Rocco Macauley.

All songs written by Strummer/Jones
except Strummer/Jones/K.Levine and " Marvin/Perry.
All songs copyright control except ** Blue Mountain Music Ltd.
Photographs: Front Cover - Kate Simon; Back Cover - Rocco Macauley.

All songs written by Strummer/Jones
except Strummer/Jones/K.Levine and " Marvin/Perry.

Photographs: Front Cover - Kate Simon; Back Cover - Rocco Macauley.

04：『白い暴動』のクレジット違い（UK）

05：『白い暴動』（US）

06：『白い暴動』（カナダ）

08：『白い暴動』（アルゼンチン）

07：『白い暴動』（カナダ）

09：『白い暴動』（ペルー）

01：『白い暴動』(日本)

白い帯が初回盤です。大貫憲章さんが書いた「彼らは火も吐かない、血も吐かない。ただ、毒を吐く」というコピーは今やクラッシュのファンには定番のキャッチフレーズになっていますね。ちょうどKISSが出てきたときだったので、KISSとかハードロックに対するアンチテーゼのバンドが出ましたよという思いを込めたのではないでしょうか。

02：『白い暴動』(日本)

当時、ぼくらが買えたのは緑の帯のほうだったんですよ。セカンドが出たときにはすでに緑の帯になっていました。「バイオレンス・パンクの王者」と書いてあるんですけど、このときにはまだクラッシュがどんなバンドかよくわかってなかったんでしょうね。勢いでコピーを書いてる節がありますよね。レコード会社の表記がCBS・ソニーからエピック・ソニーに変わっています。エピックがレーベルから会社になったのが、初回盤が出たあとだったと思います。緑の帯の『白い暴動』には初回特典としてステッカーが付いているんです。それをあとで知って探して買いました。これは苦労しましたね。「7大ロッカーロゴステッカー付き」の赤い帯はあってもステッカーが入ってなかったりとか、ステッカーの一部が剥がされていたりとか。これを手に入れたのは自分のバンドのツアー先のどこかですね。東京ではないです。ツアーには全国のレコード店のマップを持って行って、時間ギリギリまでレコードを探しています（笑）。恐ろしいことにこの帯の色が赤じゃないやつを写真で見たんですよ。写真の撮り方で違う色に見えたのかなとも思うんですけど、あきらかに赤系統ではない色だったんですよね。今、それを探してるんですけどなかなか見つからないんです。

03：『白い暴動』UK初回盤と「Capital Radio EP」とNMEのクーポン券

UK盤の初回1万枚にはレコード袋に赤いステッカーが貼ってあったんですよ。ファーストはかなり売れたから1万枚っていうと、すぐに買わないと付いていなかったと思います。この赤いステッカーとNMEに付いていたクーポン券を送ると、この7インチアナログ盤「Capital Radio EP」（収録曲：Listen（Edit）/

Interview With The Clash On The Circle Line（Pt.1）/ Interview With The Clash On The Circle Line（Pt.2）/ Capital Radio One）がもらえたという。その赤いステッカーが付いた『白い暴動』がこれなんですけど、だいたいのUK初回盤はこの赤いステッカーが剥がされていることが多いんです。初回プレス盤なので赤いステッカー付きの『白い暴動』は圧倒的に音がいいんですよ。この7インチはブート盤がたくさん出ているので要注意です。精巧なコピー品が出回っているので。これはCL1A、Promotional Copy Not For Releaseと書いてあるんですけど、そこまで細かくチェックしたほうがいいですね。最近ではこれのカラーレコードとか出てたりするんですよ。完全に偽物なんです（笑）。そういうブート盤がたくさん出ていますね。

04：『白い暴動』のクレジット違い（UK）

　　上と下はジャケットの裏のコピーライトのところが3行表記なんです。下は3行表記なんだけど「カセットテープは音楽を殺します」という表記が入っています。たぶん、この時期、他のアーティストのレコードにもこの表記が入ったんだと思います。それだけ友達から借りたレコードをカセットテープに録音する人が増えてきたんじゃないですかね。こういうところからも音楽ビジネスを取り巻く環境の変化を知ることができますよね。4行表記が初回盤です。

05：『白い暴動』（US）

　　これは『白い暴動』のUS初回盤です。UK盤とは収録曲も曲順も違うし、ジャケットのデザインでいうと、クラッシュの文字の位置も変わるし、トリミングも変わっているんですよね。ファーストプレスは中のスリーブも違うんですよ。歌詞が付いてるんです。これはUK盤ではなかったことで、しかも7インチアナログ盤（「GATES OF THE WEST」「GROOVY TIMES」）が封入されているという。なかなか気合が入ってるんですよね。アメリカではセカンドアルバム『動乱』のあとにリリースされたので「クラッシュはアメリカでもお金になるかも」と思って、ここまで力の入ったレコードに落とし込んだのかもしれませんね。「クラッシュ・シティ・ロッカーズ」というハードロックっぽい曲から始まって、とにかく音が分厚い曲から入れていくという、完全にアメリカ人のリスナーを意識した

アルバムになっています。UK盤と同じように「ジェニー・ジョーンズ」から始まったらアメリカ人には受けなかったかもしれませんよね。1曲目を変えたところがアメリカのレコード会社のセンスだなと思います。パンクを好きな人も聴くしハードロックを好きな人も聴くというね。

06-07：『白い暴動』（カナダ）

　カナダ盤はジャケットが青いんですよ。このセンスがよくわからないですけど。なぜ色が変わったのか調べてみたら、当時はどうやらより目立つ色にジャケットを変えてもいいという暗黙の了解があったみたいなんですよ。カナダだと青のほうが売れると思ったんじゃないですかね。緑はくすんでいて地味じゃないかという話になったのかもしれないですね。カナダ盤はピクチャー盤（07）も出ています。

08：『白い暴動』（アルゼンチン）

　『白い暴動』の原題は『The Clash』なんですけど、アルゼンチン盤は『London's Burning』というタイトルになっています。ザ・クラッシュの『ロンドンは燃えている！』というアルバムなんです。こっちのほうがわかりやすかったんでしょうけどね。めちゃくちゃですよね（笑）。日本盤も『白い暴動（＝White Riot）』というタイトルになってますが、だからといってジャケットには印刷しませんよね（笑）。ジャケットの裏の曲名も全部アルゼンチン語で表記されていて、一見ブート盤に見えますが、これは公式盤です。ちゃんとCBSって書いてありますからね。すごくアバウトな作りなんですよね。これは海外のオークションサイトで手に入れました。

09：『白い暴動』（ペルー）

　南米でクラッシュは人気があったんでしょうね。ジャケットも中身もUS盤ですね。エピックから出ているのでオフィシャルです。ペルー盤はUS盤に貼られていたシールがジャケットに印刷されているんですよ。

10：『白い暴動』（White Riot Protex Blue Split Color Vinyl）

　　これは2013年のレコード・ストア・デイでリリースされたもので、収録曲の「Protex Blue（邦題：反逆ブルー）」という曲にちなんで「White Riot Protex Blue Split Color Vinyl」仕様になっています。白と青で作ってあるんですよ。5千枚限定だったので探すのに苦労しました。

11：『パール・ハーバー'79』（日本）

　　中身は『白い暴動』のUS盤ですね。それにスリーブを付けて日本で売り出したんです。海外のコレクターの人もこのアルバムは好きなんですよね。海外の中古レコード店だとこれは高いんですよ。当時（79年）、こんなスリーブは海外じゃありえないし、すごい発想ですよね。よく許されましたよね。本物のジャケットを隠してこんなのを付けちゃうんだから。

10：『白い暴動』
（White Riot Protex Blue Split Color Vinyl）

11：『パール・ハーバー'79』（日本）

NME 1979年10月13日号

『白い暴動』US盤がリリースされた後のNME

NEW MUSICAL EXPRESS

NME

FEET FIRST
INTO '81!
Neue Deutsche Musik
B 52s · Fire Engines
Screen Special

Despatches from
the Clash zone;
Strummer talks
from the hip.

A RAP WITH JOE REPUBLIC - CENTRE PAGES

NME 1981年1月3日号
『サンディニスタ!』リリース直後のNME

2nd Album

『動乱（獣を野に放て）』（Give 'Em Enough Rope）UKオリジナル盤

1978年11月10日 英国リリース

1. セイフ・ヨーロピアン・ホーム Safe European Home　　2. イングリッシュ・シヴィル・ウォー（英国内乱）English Civil War　　3. トミー・ガン Tommy Gun　　4. ジュリーはドラッグ・スクワッドで働いている Julie's Been Working for The Drug Squad　　5. ラスト・ギャング・イン・タウン Last Gang In Town　　6. 屋根の上の殺し屋 Guns On The Roof　　7. ドラッグ・スタビング・タイム Drug-Stabbing Time　　8. ステイ・フリー Stay Free　　9. ケチな野郎のスーパー・スター Cheapskates　　10. すべての若きパンクスども All The Young Punks（New Boots And Contracts）

『動乱（獣を野に放て）』（Give 'Em Enough Rope）US盤

ザ・クラッシュはファーストアルバムを初期衝動で作って、3枚目の『ロンドン・コーリング』ではジャズから何から好きな音楽をやっていますよね。セカンドアルバム『動乱』はその間の過渡期というか、クラッシュとしてもどっちにいこうかっていう時期だったと思うんです。パンクで突き進んでいくのか、あるいは音楽的にも評価されたいのか、そのどちらかを決めようと思ったアルバムなんじゃないかなと思いますね。

　その結果、パンクバンドとしてだけじゃなくて、普通のロックバンドとしての評価、つまり楽曲も音楽面もちゃんと評価してほしいと思ってこのアルバムを作ったんじゃないかと思うんです。

　というのも『動乱』はパンクを踏襲しながらハードロック色もあるんです。ギターも歪んでいたりとか、ドラムが異様に太かったりするんです。それもそのはず、このアルバムはブルー・オイスター・カルトのプロデューサーでもあるサンディ・パールマンがプロデュースしているんですね。やっぱりアメリカで受けたかったんじゃないですかね。ぼくの邪推なんですけど、「反アメリカ」と歌っていても、アメリカでヒットが欲しかったんじゃないかなと。

　ところが、音質をアメリカ寄りにしたわりにはそこまで評価されなかったんですよ。だったら今度は自分たちの音楽的センスを全部注ぎ込んでみようということで『ロンドン・コーリング』という流れになったんじゃないかなと。

　『動乱』は評価は得られなかったものの、ある程度の注目は浴びたことは間違いないです。アルバムには「ステイ・フリー」とか「トミー・ガン」といった名曲が入っているし、「セイフ・ヨーロピアン・ホーム」なんかはクラッシュの代表曲だし、アルバムのバランスでいったら一番いいですからね。しっかりした作品になっていると思います。アメリカでの土壌を作ったこのアルバムがなければ『ロンドン・コーリング』のヒットもなかったんじゃないかなと思いますね。

　ぼくのまわりでは「クラッシュはセカンドが最高！」という人が多いですね。「トミー・ガン」などアグレッシブなクラッシュの側面が出た作品ですからね。音質よりもテンションが評価されているというか。10曲収録というのもわかりやすいし、アルバムとしての完成度も高いですよね。いい曲も入ってるし、さっきも言いましたけど、パンクロックの代表曲「セイフ・ヨーロピアン・ホー

ム」も入っている。そういう意味では一番聴きやすいアルバムかもしれないで
すね。

　ただぼくとしてはハードロック色が強くなったなという印象があるので、そ
こは複雑なんです。ぼくがドラマーだからそう感じるのかもしれないけど、リ
ズムが面白い曲がないんですよ。たぶんこのアルバムはミック・ジョーンズが
主体となってプロデューサーと一緒に進めたんじゃないかという気がするんで
すよね。ポール・シムノンなんかはこのアルバムにはほとんど貢献していない
んじゃないかなと。『ロンドン・コーリング』になると俄然ポール・シムノン色
が出てきますからね。

01：『動乱』（日本）

02：『動乱』（UK）

03：『動乱』（US）

04：『動乱』（US）プロモーション盤裏ジャケ

05：『動乱』(ギリシャ) 裏ジャケの色違い

06：『動乱』(スペイン) 裏ジャケ

07：『動乱』(スペイン)

08：『動乱』(ロシア)

01：『動乱』（日本）

　　『動乱』の日本盤にはバージョン違いはないです。『白い暴動』同様、大貫憲章さんがライナーノーツを書いています。

02：『動乱』（UK）

　　これがUKオリジナル盤です。『動乱』に関してはクラッシュのフォントが変わるくらいで『白い暴動』ほどの違いはないんですよね。ジャケットの裏が国によってはモノクロになったりとかするんですけど、ジャケットの表に関してはほとんど違いはないです。ぼくが持っているこのアルバムのマトリックスは1Aなので、最初期盤ですね。ダントツで音はいいです。そこはビートルズのレコードと同じでマトリックスが若ければ若いほどいい音が出ます。先日『ロンドン・コーリング』の最初期盤を聴いたんですけど、比較にならないくらい音がよかったですね。最近ではマトリックスの番号が早いというだけで買う理由になってしまっているのでお金がいくらあっても足りません。前はUKオリジナル盤を持っていればいいやと思ってたんですけど……これはよくない傾向だと思ってます（笑）。

03：『動乱』（US）

　　US盤はCLASHのフォントが違いますね。UK盤のフォントはぱっと見たときにCLASHという表記がわかりにくいので変えたんだと思います。

04：『動乱』（US）プロモーション盤裏ジャケ

　　プロモーション盤にはクラッシュの紹介文が入ったポスターが入っています。アメリカでは『白い暴動』よりも先に『動乱』がリリースされたので、『動乱』がアメリカにおけるファーストアルバムなんです。だからプロモーション盤にこういった解説を封入してメディア関係の方に宣伝したんだと思います。

05：『動乱』（ギリシャ）裏ジャケの色違い

　　『動乱』は途中で裏ジャケにバーコードが入ったりするだけで、そんなに激しい変化はないですね。あとはジャケットの裏のデザインが少し違うものが

あるくらいで。赤い旗の色がピンクになっているものがあるんですけど、そこに他意はないと思います。

06：『動乱』(スペイン) 裏ジャケ

スペイン盤になると裏ジャケが完全にモノクロになります。これも他意はないと思います。印刷費が安いとか、そういうレベルだと思いますね。それから曲名がスペイン語で印刷されていますね。

07：『動乱』(スペイン)

同じスペイン盤なんですけど、ジャケットがまったく違うという。中身はたしかに『動乱』ですね。これはブート盤ではなくちゃんとソニーから出ているんですよ。調べてみたらこれは「ロック紹介シリーズ」みたいな感じで、いろんなアーティストの名盤が同じジャケットのデザインで出ていたみたいですね。それだけクラッシュも人気があったということですね。

08：『動乱』(ロシア)

ロシア盤はなんかもうだいぶ適当ですね。裏も相当アバウトな作りになっています。どこのレコード会社とも書いていないという。これはブート盤の可能性がありますね。一応オフィシャルという形でDiscogs（世界最大級の音楽データベース）には出ています。言っても当時のソ連（現在のロシア）にしてみればクラッシュは西側の音楽ですからね。だからこういう形で密かに流通していたのかもしれませんね。

『ロンドン・コーリング』(London Calling) UKオリジナル盤

1979年12月14日 英国リリース

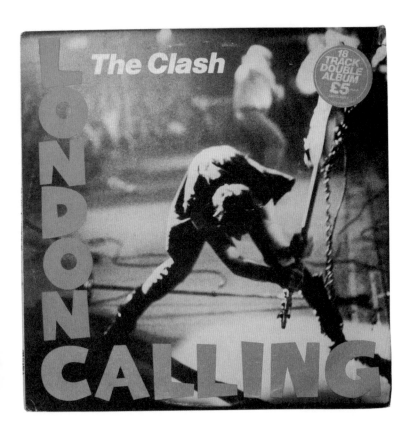

〈DISC 1〉1. ロンドン・コーリング London Calling　2. 新型キャディラック Brand New Cadillac　3. ジミー・ジャズ Jimmy Jazz　4. ヘイトフル Hateful　5. しくじるなよ、ルーディ Rudie Can't Fail　6. スペイン戦争 Spanish Bombs　7. ニューヨーク42番街 The Right Profile　8. ロスト・イン・ザ・スーパーマーケット Lost In The Supermarket　9. クランプダウン Clampdown　10. ブリクストンの銃 The Guns of Brixton　〈DISC 2〉1. ロンゲム・ボヨ Wrong 'Em Boyo　2. 死か栄光か Death or Glory　3. コカ・コーラ Koka Kola　4. いかさまカード師 The Card Cheat　5. ラヴァーズ・ロック Lover's Rock　6. 四人の騎士 Four Horsemen　7. アイム・ノット・ダウン I'm Not Down　8. リヴォリューション・ロック Revolution Rock　9. トレイン・イン・ベイン Train In Vain

『ロンドン・コーリング』（London Calling）US初回盤

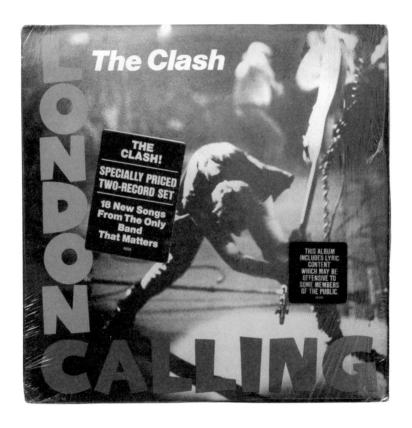

ザ・クラッシュはファーストアルバムを作ってパンクムーヴメントで括られるのが窮屈だという思いもあって、セカンドアルバムではパンクという言葉に乗りながらアメリカにも色気を出すようなアルバムを出しました。そういう意味ではクラッシュは1枚目と2枚目でちゃんと時代に即してやれたと思うんです。しかもロックバンドとしての種も撒けた。だからこそ3枚目で本来クラッシュがやりたかったことをできたんじゃないかなと思うんですよね。

　『ロンドン・コーリング』はクラッシュの新境地のようにも語られますが、ぼくはクラッシュ本来の姿が『ロンドン・コーリング』なんじゃないかと思うんです。デビューして以降、メンバーもかなりいろいろな音楽を吸収してきたと思いますし、一番自由に作れたアルバムなんじゃないかなと思います。

　コンセプトアルバムとしても最高の作品ですよね。なぜそう思うかというと、『ロンドン・コーリング』はあの当時のロンドンのサウンドトラックなんです。タイトルもふくめて、当時のロンドンのすべてがここに入っているという。これはあくまで想像ですが、クラッシュのメンバーはちゃんと街へ繰り出して、いろんなレコードを買って、それぞれ音楽の情報を交換しあっていたんじゃないでしょうか。その上で作ったのが『ロンドン・コーリング』なんだと思います。当時のロンドンの実況録音盤みたいな作品ですね。だからすごく生々しい。このアルバムを聴くとすぐに1979年のロンドンに行けるような気分になります。

　このアルバムで一番好きなのは「アイム・ノット・ダウン」ですね。タイトルと楽曲とミック・ジョーンズの切ない声の組み合わせがいいですよね。アルバムの最後を飾る「アイム・ノット・ダウン」「リヴォリューション・ロック」「トレイン・イン・ベイン」という流れは最高です。素晴らしい楽曲の3連続で、もうしびれますね。クラッシュのかっこいいところが全部入ってる。あの3曲を通して聴くと、いつもザ・ビートルズの『アビイ・ロード』の最後のメドレーを聴いているような感覚になるんですよね。だけどクラッシュがすごいのはビートルズのようにこれで終わりじゃなくて、さらに高みに行くんです。

　それと同時に『ロンドン・コーリング』を通していろんな音楽のジャンルを知ることになりました。ロカビリーもそうだしジャズもそうだしスカもレゲエも。「ラヴァーズ・ロック」はグラムロックに近いかもしれないですね。『ロンドン・コーリング』はいろんなジャンルの音楽のエッセンスをぎゅっと凝縮したアル

バムでもあるので、どういうジャンルの音楽を好きな人が聴いても楽しめるアルバムではありますね。

　同時にもはやパンクではないという声も聞かれました。ところがクラッシュは2枚組のアルバムを1枚の値段で売ったことでもわかるように、自分たちのアティチュードとか行動でパンクを表すようになるんですよね。「パンクとはスタイルを意味していない（Punk is attitude. Not style.）」と書いてあるのはそういうことかなと思います。クラッシュのスタンスとか行動がパンクだから、サウンドがパンクから離れても全然OKというか。音楽的にはパンクよりも先に行っているけれど、パンクロックであることには間違いないという。

　そうやってスタイルじゃないパンクになったのは『ロンドン・コーリング』からなんですよね。もうジャケットからして100点ですからね。普通だったら勝負の3作目でベーシストがジャケットってなかなかないと思うんです。それもパンクですよね。しかも2枚組のアルバムを1枚の値段で売るなんて！

　だからあらゆる部分で文句を言わせないアルバムを作ろうと思っていたんじゃないかと思いますね。3枚目に関しては作る前から4人ともそれぞれのビジョンが頭のなかにあったんじゃないかなと思うんですよ。「とにかくすごいアルバムを作ってすごい売り方をしようぜ」みたいな。マニック・ストリート・プリーチャーズが「全世界で1位を獲って解散する」って言ってましたけど、ああいったことの元祖みたいなものですよね。「2枚組を1枚で売って世界で1位を獲ってやる」とは実際は言っていなくとも、ああいうめちゃくちゃな姿勢を感じますね。

　だから『ロンドン・コーリング』はパンクの名盤というよりもロックンロールの名盤という言葉が当てはまるかもしれないですね。パンクの名盤というとぼくはどうしても窮屈な感じがするので、ロックンロールの名盤と言ってくれたほうが「そうなんですよ！」と言いやすいです。同時にパンクという言葉のイメージを広げたアルバムでもありますよね。「パンクってすごいな」という。「一概にパンクといってもこんなのがあるんだ？」という。

　このアルバムで離れたパンクファンもすごく多いと思います。当時、パンクがめちゃくちゃ好きだった人に「『ロンドン・コーリング』はつまらなくて聴けない」と言われたりもしました。たしかに1枚目を聴いていた人が「ジミー・

ジャズ」を聴いて「退屈でしょうがない」と言うのもわからないでもないんですよ。だけどあの「ジミー・ジャズ」を前半にもってくるセンスが最高なんですよね。普通もってこないですよ、勝負の3枚目のアルバムで。A面には絶対にもってこないと思う。そこがやっぱり自信作ならではというか、「アルバムとして聴いてくれ」という意志がすごく感じられるというか。そのアルバムのラスト3曲のすごみときたら！ 何度も言いますが、クラッシュは道半ばで『アビイ・ロード』をやっちゃったっていうね。

01：『ロンドン・コーリング』(日本)

02：『ロンドン・コーリング』（UK）

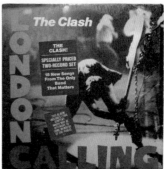

03：『ロンドン・コーリング』（US）

04：『ロンドン・コーリング』（韓国）

01：『ロンドン・コーリング』（日本）

　　『ロンドン・コーリング』の日本盤は帯とポスターが付いています。あと、日本盤には、ぼくがまだ見つけられていない『ロンドン・コーリング』のジャケット全面帯仕様っていうのがあります。それはどうしても見つからなくて。簡単に言うと、そのポスターがジャケットになっていて、『パール・ハーバー'79』のスリーブみたいになっているんですよ。日本で作られたプロモーション盤なんです。それがクラッシュのレコードのなかで最もレアなレコードですね。これを読んでいる方で持っているという人は見せてほしいですね。この冊子はそのプロモ盤に付いていたものです。すごくよく出来た冊子です。たぶん当時、クラッシュの担当だった野中（規雄）さんが編集したんじゃないかと思うんですけど、デザインから何から秀逸なんです。帯付きの日本盤は持っていたんですけど、この冊子も付けますってオークションに出ていたので迷わず買いました。オークションに出品した方にプロモ盤を持っているかどうか訊いたんですけど、やっぱり持ってなかったですね。Discogsで調べたら、持っている人が世界で4人いました。日本では持っているという話すら聞いたことがないです。幻中の幻盤なんです。そのレコードに出会いたいからずっとレコード屋さんをまわっているのかもしれません。そのレコードに出会うことがコレクターとしてのひとつの到達点だと思っています。道は険しいですね（笑）。

02：『ロンドン・コーリング』（UK）

　　『ロンドン・コーリング』のUKオリジナル盤には「18曲入りの2枚組だけど5ポンドだよ」と書かれたステッカーが貼られていて、ここにこのアルバムのすべてが集約されているんです。UKオリジナル盤はダブルジャケットじゃなくて、レコードのスリーブに歌詞が印刷されています。そういう意味では日本盤のほうがお金がかかってますよね。その後、スリーブに印刷されていた歌詞が歌詞カードになりました。

03：『ロンドン・コーリング』（US）

　　US盤にもステッカーが貼られていて「2枚組のレコードだけどスペシャルプライスだよ」と書いてあります。US盤はあとで黒いステッカーの色が紫色に

変わるんですよ。書いてあることは同じです。黒いほうがマトリックスが早いので、こちらのほうがオリジナルかと思います。おそらくジャケットデザインの雰囲気を殺さないように黒にしたんだと思うんですけど、ステッカーとして目立つのは紫色なので、スペシャルプライスを目立たせたくて途中で変えたんだと思っています。

04：『ロンドン・コーリング』(韓国)

　韓国盤を最初に見たとき、ブート盤かと思ったんですが、レコード店に行くとけっこう出会うんですよ。だからこれは韓国のオフィシャルだとは思うんですけど、ステッカーがそのまま印刷されていたり、ジャケットもペラペラどころじゃなくて。もしかしたら韓国では当時リリースされていなくて複製して勝手に売っていたのかもしれませんね。『サンディニスタ!』もまったく同じ仕様で存在するんです。

05：『ロンドン・コーリング』(2019 LIMITED SPECIAL SLEEVE) ＋40周年アイテム

　これは2019年に出たレコードなんですけど、わりと秀逸なので紹介したいなと思って。透明のスリーブにアルバムタイトルが印刷されていて、スリーブを外すと、元になった写真がそのまま出てくるんです。すごくいいですよね。飾っておくならこのレコードかなって。この辺は全部『ロンドン・コーリング』40周年記念のときにリリースされたものですね。CD、カセット……カセットもちゃんとピンクと緑になっているんですよ。もったいなくて開けられないんですよ(笑)。ノートとバッジはイギリスで行われた『ロンドン・コーリング』展で売っていたものを買ってきてもらいました。展覧会にはメンバーが着ていたTシャツとか使ってた楽器とかアルバムジャケットになった折れたベースも飾ってあったみたいですね。かなりいい展示だったと聞きました。『ロンドン・コーリング』って展覧会ができるほどすごいアルバムなんですよね。同時に、どうやってもかっこいいアイテムができるお手本のようなジャケットデザインということですよね。このデザインがエルヴィス・プレスリーのファーストアルバムのオマージュというところもいいんですよ。40周年記念で出たものはどれも素晴らしかったです。

第1章：アルバム編

05：『ロンドン・コーリング』（2019 LIMITED SPECIAL SLEEVE）＋40周年アイテム

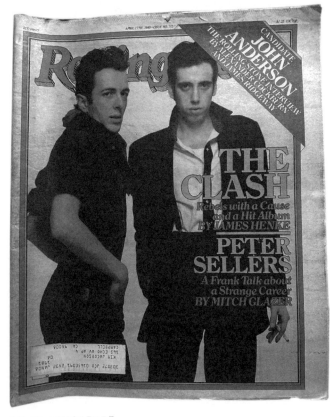

Rolling Stone 1980年4月17日号
『ロンドン・コーリング』発売後の Rolling Stone

　　　　　　　　　　　　第1章：アルバム編

The Armagideon Times no1
『ハルマゲドン・タイムス』1号の表4に掲載された『ロンドン・コーリング』の広告

『ブラック・マーケット・クラッシュ』（Black Market Clash）USオリジナル盤

1980年6月26日 米国リリース（1981年3月1日 英国リリース）

1. キャピタル・レディオ・ワン Capital Radio One　　2. ザ・プリズナー The Prisoner　　3. プレッシャー・ドロップ Pressure Drop　　4. ペテン Cheat　　5. 死の街 City Of The Dead　　6. タイム・イズ・タイト Time Is Tight　　7. バンク ロバー／ロバー・ダブ Bankrobber/Robber Dub　　8. ハルマゲドン・タイム Armagideon Time　　9. ジャスティス・ト ゥナイト／キック・イット・オーヴァー Justice Tonight/Kick It Over

01：『ブラック・マーケット・クラッシュ』
（US）10インチ盤

03：『ブラック・マーケット・クラッシュ』
（ニュージーランド）

02：『ブラック・マーケット・クラッシュ』
（US）12インチ盤

01-02：『ブラック・マーケット・クラッシュ』（US）

　　　このアルバムには1977年にNMEがリリースした7インチ「Capital Radio」
や未発表カバー曲や初期のB面やミックスが収録されています。10インチ盤
がオリジナルですね。あとで12インチ盤（02）が出ました。10インチ盤も比較
的よく見かけるので全然、レアアイテムではないです。いつでも売ってるわけ
ではないけど、出会う可能性は高いです。

03：『ブラック・マーケット・クラッシュ』（ニュージーランド）

　　　ニュージーランド盤は12インチなんですけどジャケットは10インチをそのま
ま使ってるんです。今じゃ絶対に許されないですよね。ただ今はサブスクリプ
ションがメインじゃないですか。こういう面白さがなくなっちゃったんですよね。
サブスクではありえない面白さですよね。逆にサブスクはこういうのがないか
らお金はかかりませんけどね（笑）。こっちはお金しかかからないから（笑）。

『ザ・クラッシュ・シングルズ '77–'79』(the Clash SINGLES '77–'79)
日本オリジナル盤
1980年7月1日 日本リリース (Single Box Set)

7インチシングルが入った日本独自企画のボックスセットです。ボックスを
ポール・シムノンがデザインしたんですよ。このボックスセットの特徴はそこに
つきますね。当時イギリスでリリースされた7インチシングルを買えた人は少な
かったと思うんです。このボックスセットには日本ではシングルカットされてい
ないレコードも入っているので、これが出たときにはファンは喜んだんじゃな
いですかね。ぼくは完全に後追いですね。だから帯付きの美品が少なくて
見つけるのに苦労しました。この帯がね、破れやすいんですよ。

1. 白い暴動 White Riot/1977 1977　**2.** リモート・コントロール Remote Control/ロンドンは燃えている（Live）
London's Burning（Live）　**3.** コンプリート・コントロール Complete Control/死の街 City Of The Dead　**4.** クラ
ッシュ・シティ・ロッカーズ Clash City Rockers/ジェイル・ギター・ドアーズ Jail Guitar Doors　**5.** ハマースミス宮殿
の白人（White Man）In Hammersmith Palais/ザ・プリズナー The Prisoner　**6.** トミー・ガン Tommy Gun/1-2 クラ
ッシュ・オン・ユー 1-2 Crush On You　**7.** イングリッシュ・シヴィル・ウォー（英国内乱）English Civil War（Johnny
Comes Marching Home）/プレッシャー・ドロップ Pressure Drop　**8.** ロンドン・コーリング London Calling/ハル
マゲドン・タイム Armagideon Time

『サンディニスタ!』(Sandinista!) UK オリジナル盤

1980 年 12 月 12 日 英国リリース

〈Disc 1〉1. 7人の偉人 The Magnificent Seven　2. ヒッツヴィル U.K. Hitsville U.K.　3. ジャンコ Junco Partner
4. イワンが G.I. ジョーに会う時 Ivan Meets G.I. Joe　5. 政府の指導者 The Leader　6. 老いたイングランド
Something About England　7. 叛乱ワルツ Rebel Waltz　8. ルック・ヒア Look Here　9. 歪んだビート The Crook-
ed Beat　10. 誰かが殺された Somebody Got Murdered　11. ワン・モア・タイム One More Time　12. ワン・モア・
ダブ One More Dub　〈Disc 2〉1. ライトニング・ストライクス（電光一閃！おんぼろニューヨークを直撃）Light-
ning Strikes (Not Once but Twice)　2. ロンドン塔 Up in Heaven (Not Only Here)　3. コーナー・ソウル Corner
Soul　4. レッツ・ゴー・クレイジー Let's Go Crazy　5. もしも音楽が語ることができるなら If Music Could Talk
6. ザ・サウンド・オブ・ザ・シナーズ The Sound of Sinners　7. ポリス・オン・マイ・バック Police on My Back　8.

『サンディニスタ！』（Sandinista!）US盤

ミッドナイト・ログ Midnight Log　**9.** 平等 The Equaliser　**10.** ザ・コール・アップ The Call Up　**11.** サンディニスタ！（ワシントンの銃弾）Washington Bullets　**12.** ブロードウェイ Broadway　〈**Disc 3**〉**1.** ルーズ・ディス・スキン Lose This Skin　**2.** チャーリー・ドント・サーフ（ナパーム弾の星）Charlie Don't Surf　**3.** メンズフォース・ヒル Mensforth Hill　**4.** ジャンキー・スリップ Junkie Slip　**5.** キングストン・アドヴァイス Kingston Advice　**6.** ストリート・パレード The Street Parade　**7.** ヴァージョン・シティ列車 Version City　**8.** リヴィング・イン・フェイム Living in Fame　**9.** シリコン・オン・サファイア Silicone on Sapphire　**10.** ヴァージョン・パードナー Version Pardner　**11.** 出世のチャンス Career Opportunities　**12.** シェパーズ・ディライト Shepherds Delight

ザ・クラッシュの『サンディニスタ!』は36曲入り・3枚組のアルバムですが、アルバムを全部通して聴いたら「これ、曲を削って2枚組でいいんじゃない?」って言う人もいると思うんですよ。ぼくは好きだから6面全部聴きますけど、普通だったら4面（2枚組）でいいですよね。それを3枚組で通したメンバーの情熱はすごいと思うんです。『サンディニスタ!』を出したときのクラッシュは情熱で世界を動かしていたのではないでしょうか。

　あとはぼくらが思っている以上にレコード会社から期待されていたのかもしれない。普通3枚組を出したいと言っても「無理です」と言われるのが当たり前ですからね。しかも値段を安く売るなんてことはさらに無理なことじゃないですか。ぼくがレコード会社の社員でも3枚組には「NO」を出しますよ。『ロンドン・コーリング』の売上が予想以上によかったんでしょうね。売れたものの強みというか。そういう意味ではクラッシュはやりたいことをやるために頑張ってきたんだなという気がします。

　当時のクラッシュは自分たちがやりきれたかどうかというところで闘おうとしたんだと思います。それが『サンディニスタ!』だと思います。世間的な評価を気にするよりも自分たちがやったかやらなかったかが大事だったんじゃないですかね。たぶん『サンディニスタ!』を作ったときに「俺たちはやったんだ!」という手応えはすごくあったんじゃないかと思いますね。これ以上やって駄目だったら音楽で世の中を変えられないよというぐらいの熱量をクラッシュはこのアルバムに注ぎ込んだんじゃないかなという気がするんです。コンセプトもそうだしタイトルもそうだしジャケットもそうだし。やれることはやったという作品ですよね。

　だから実質『サンディニスタ!』がラストアルバムなのかなと思ったりもします。音楽的な頂点であり、やりきった感ということを考えるとクラッシュは『サンディニスタ!』で解散しても全然おかしくはなかったんじゃないかと。それくらいの熱量がありますよね。ファンからすると今でも「3枚組でありがとう!」という気持ちになるんですよ。クラッシュが全部注いだ姿を見られて本当によかったなと。何を言われようと全力で4人でやろうという、その結果がこの賛否両論の3枚組だったと思います。そう思うと美しいアルバムですよね。歳を重ねてからぼくが『サンディニスタ!』を好きになった理由もそこにあると思う

んですよ。

　本当に一生に一度このアルバムを作れただけでもバンドマン冥利に尽きると思います。たぶん世の中のロックバンドの99％は『サンディニスタ!』を作れませんよ。例えば全盛期のオアシスが3枚組を出したいと言っても、たぶんレコード会社に断られたと思うんです。それ以前に駄曲だろうが何だろうが、その当時あった曲を全部入れるなんていうことはできないと思うんです。

　だから『サンディニスタ!』のアウトテイクや未発表の曲ってあまりないんです。『サンディニスタ!』も40周年記念盤が出るという話があったのにけっきょく出なかった。もしかしたら全部アルバムに入れちゃったから未発表曲のストックがなかったんじゃないですかね。レアトラックも全部アルバムに入れたからじゃないかなと。本来ならアルバムから外されてレアトラックになりそうな曲が『サンディニスタ!』にはたくさん入ってるじゃないですか。「この曲、どうして入れたんだろう？」っていう曲も全部入れちゃってますからね。

　例えば『コンバット・ロック』なんかアウトテイクがめちゃくちゃあるんです。レアトラックだけでアルバムが作れるくらいに。実際、ブートレッグが出てるんですよ。『ロンドン・コーリング』も記念盤が出たときには1枚丸々アウトテイクやリハテイクの音源がありましたからね。そう考えると、もしかしたら『サンディニスタ!』にはリハの音源も正式な楽曲として収録されている可能性もあるなと。アルバムに入れるつもりはなくてとりあえず録っておいた音源も入れたんじゃないかと思うんですよ。

　もしもファーストアルバムに『The Clash』とつけていなかったら『サンディニスタ!』が『The Clash』というタイトルになっていたかも。『サンディニスタ!』はまさに『The Clash』というタイトルがふさわしいアルバムだと思います。

01：『サンディニスタ！』（日本）

「THE ARMAGIDEON TIMES no3」

「THE ARMAGIDEON TIMES no1」

「THE ARMAGIDEON TIMES no2」

01：『サンディニスタ！』（日本）

　　帯付きで中に歌詞付きのポスターが入っています。で、この歌詞付きの
ポスターには「THE ARMAGIDEON TIMES no3」と書いてあるんですけど、こ
れはクラッシュ公認のファンジン「THE ARMAGIDEON TIMES」のことなんです。
なぜ「no3」になっているかというと、「1」と「2」が存在するんです。たぶ
んプロモーション用に作られたファンジンだと思うんです。最初、「no3」とな
ってるけど1と2はないのかなと思ったんですよ。調べてみたらあったんですよ。

1と2は海外のオークションサイトで手に入れました。3以降は出てないです。2019年の『ロンドン・コーリング』40周年展のパンフレットの表紙に「THE ARMAGIDEON TIMES」と印刷されているのは、セルフオマージュなんです。ぼくはこれを見たときしびれましたね。こう来たかって。ファンはこのパンフレットを見たとき、たまらなかったんじゃないですかね。貼ってあるステッカーも『ロンドン・コーリング』に貼ってあったステッカーと同じだし、『サンディニスタ!』のポスターともつながっているという。だからこの「THE ARMAGIDEON TIMES」ひとつとっても、クラッシュに関わるクリエイターは今もなお秀逸ってことなんですよね。クラッシュはずーっとかっこいいまま来てるんですよね。

40年後の「THE ARMAGIDEON TIMES」

02：『サンディニスタ!』(UK)

03：『サンディニスタ!』(US)

04：『サンディニスタ!』(韓国)

05：『サンディニスタ!』(US) プロモーション盤

02：『サンディニスタ!』(UK)

UK盤は日本盤と中もそんなに変わらないです。ポイントをあげるとするな
らステッカーですね。「LOW-PRICED 3-LP SET」と書いてあります。

03：『サンディニスタ!』(US)

US盤はステッカーの色が違います。紫色になります。『ロンドン・コーリン
グ』の再プレス盤からこの紫色を踏襲しているんですよね。

04：『サンディニスタ!』(韓国)

『ロンドン・コーリング』の韓国盤と同じような仕様なんですけど、ちゃん
と3枚組になっています。プレスもよくわからない感じなんですけど、ただ当
時、『サンディニスタ!』をどういう形であれリリースした熱量を評価したいで
すね。

05：『サンディニスタ!』(US) プロモーション盤

これは『サンディニスタ!』のプロモーション用のダイジェスト盤ですね。
キャッチーな曲ばかりを集めた内容になっています。

『コンバット・ロック』（Combat Rock）UKオリジナル盤

1982年5月14日 英国リリース

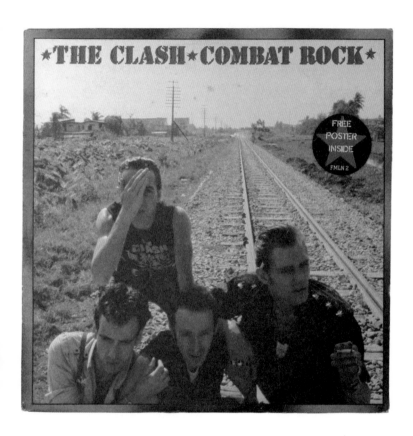

1. 権利主張 Know Your Rights　**2.** カー・ジャミング Car Jamming　**3.** ステイ・オア・ゴー Should I Stay or Should I Go　**4.** ロック・ザ・カスバ Rock The Casbah　**5.** レッド・エンジェル・ドラグネット Red Angel Dragnet　**6.** ストレイト・トゥ・ヘル Straight to Hell　**7.** オーヴァーパワード・バイ・ファンク Overpowered by Funk　**8.** アトム・タン Atom Tan　**9.** シーン・フリン Sean Flynn　**10.** ゲットーの被告人 Ghetto Defendant　**11.** イノキュレイテッド・シティ Inoculated City　**12.** デス・イズ・ア・スター Death Is a Star

ザ・クラッシュの『コンバット・ロック』はファンクな曲や時代性に即した曲が入っていたりするのでアルバムとしては好きなんですけど、なんかすごく複雑なんですよね。というのも、このアルバムは完全にロックのアルバムなんです。『ロンドン・コーリング』はロックンロールのアルバムだったんですけど、『コンバット・ロック』はロールはしていないという気がするんです。ロールがなくなっているのを感じるんですよ。だから、すごく複雑なものがあります。ぼくがクラッシュを好きなのはロックしてロールしているからで。だからこそ『ロンドン・コーリング』は愛しいわけで。『コンバット・ロック』はどちらかというとロックンロールではなく「ロックの名盤」なんですよね。

だからアルバムとしての評価はすごく高い。アルバムとしては素晴らしい。同級生の家に行くとクラッシュのアルバムは『コンバット・ロック』だけを持っていたりするんですよ。それだけ『コンバット・ロック』が売れたということはたぶん全世界でそういう現象が起こっていたんだろうなという気がしますね。だからポピュラリティという部分でクラッシュやパンクの深さを認知させることには成功したと思います。だけどクラッシュにはロックの名盤よりもロックンロールの名盤を出してほしかったなと思う自分がいるんですよね。

クラッシュは賛否両論の『サンディニスタ!』を経て、『コンバット・ロック』では正攻法でポップミュージックに切り込む方向に舵を変えたのかなとも思います。もちろん『コンバット・ロック』っていうタイトルもジャケットの雰囲気も闘う感じは出てるんだけど、『サンディニスタ!』とは違うポップのエッセンスがありますからね。本来だったら『サンディニスタ!』で突き抜けてもおかしくはなかったんだけど、結果的にはちょっとマニアックすぎたのではないかという気持ちがあったのかもしれません。それで少し達観してしまったのかなと思うんですよね。音楽で世界を変えるのは難しいなと思ったというか。だから、このアルバムはある意味、敗北宣言というか。だからちょっと切なくもあるというか。

例えばアメリカで売れようと思ったらアルバムも1枚にしないといけないし、音も『動乱』のようにしないといけないし、ダブとかもいらないし、10曲入りぐらいの『サンディニスタ!』にしないといけないですよね。それを考えたときに、よりポピュラーな、ポップミュージックとしてメッセージを広げていったほうがいいんじゃないかということを肌感覚で感じた上での『コンバット・ロック』

だったり「ロック・ザ・カスバ」だったりするのかなと思うんですよ。「ステイ・オア・ゴー」と「ロック・ザ・カスバ」というヒット曲によって正攻法で勝負して成功したのはいいんだけど、なんとなく複雑な気持ちになるという。

　もちろん「みんなのクラッシュ」でいてほしいという気持ちはすごくあるんですけど、このかたちでの「みんなのクラッシュ」は本人たち的にはどうだったんだろうなとも思うんですよね。ザ・フーのオープニングアクトでスタジアムツアーをまわったりしているので、当時の彼らには売れたいという欲はすごくあったとは思うんですけどね。

　『コンバット・ロック』はミック・ジョーンズ全開のアルバムだと思います。「レディオ・クラッシュ」をリリースしてヒップホップを取り入れて『コンバット・ロック』を出してという流れを考えると、ミック・ジョーンズはポップミュージックに対して一番敏感だったと思うんです。逆に『サンディニスタ!』は貢献度に関していうとミック・ジョーンズが一番低い気がするんですよね。ジョー・ストラマーとポール・シムノンの世界観とトッパー・ヒードンのテクニックが先行して、ミック・ジョーンズがポップミュージックとしてまとめたような感じですからね。

　『コンバット・ロック』でポップな楽曲で勝負しようぜとなったときにミック・ジョーンズの意思がすごく強く反映されたように思います。ジョー・ストラマーもこのアルバムではミック・ジョーンズの言うことをきいたと思うんですよね。それで「ロック・ザ・カスバ」がアメリカであんなにヒットして、急にお金もたくさん入ってきて。それでワケがわからなくなるんですけどね。ただその頃にはジョー・ストラマーも「ミック・ジョーンズは半端ないな」と思ってたんじゃないですかね。「次にアルバムを出すときにはフロントマンはミック・ジョーンズになりそうだな」と思ったかもしれませんね。ミック・ジョーンズの言うことをきいて全世界的に大ヒットしたということは、次のアルバムは自分を主体には作れないなと。ましてや『サンディニスタ!』や『ロンドン・コーリング』のようなアルバムは二度と作れないんじゃないかと思ってしまったんじゃないですかね。

　そうこうしているうちに、トッパー・ヒードンがドラッグで解雇されるんです。ザ・フーとまわったスタジアムツアーの後半は初期メンバーのテリー・チ

ャイムズが叩いてますからね。「ロック・ザ・カスバ」のピアノのリフはトッパー・ヒードンが作ったというから、音楽的な素養はすごくあったはずなんです。とはいえトッパー・ヒードンにしても『サンディニスタ!』で出し切った部分はあったと思いますね。だから『コンバット・ロック』のときにはドラムのキレがないような気がします。

　ザ・フーのスタジアムツアーでは「出世のチャンス」とかやったりもするんですけど、演奏自体にはトゲもなくスタジアムロックに則したような演奏になってるんですよ。テンポもすごくゆっくりだし、「パンク感ゼロでファーストの曲を演奏する」という感じですね。あの時点ですでにバンドには崩壊の兆しがあったような気がしますね。

　クラッシュは『コンバット・ロック』をリリースする直前に来日公演をやっているんですけど、あれが本来のクラッシュの姿なんですよ。スタジアムツアーをやることで、パンクバンドとしてのクラッシュとスタジアムロックバンドとしてのクラッシュの狭間でワケがわからなくなっていたんじゃないかと思うんですよね。それで1983年8月に今度はミック・ジョーンズがバンドを追い出されるんです。

　ぼくの想像ですけど、ジョー・ストラマーはスタジアムツアーをやってみて「これはやっぱり俺たちとは違うんじゃないか」と思ったんじゃないかな。ミック・ジョーンズは上昇志向がある人だから「次は俺たちだけでスタジアムツアーをやろう」というくらいになっていたと思うんですよ。そこが決定的に違ったんじゃないですかね。ポール・シムノンもスタジアムロックとか一切興味がなさそうだし。だからジョー・ストラマーとポール・シムノンが結託してミック・ジョーンズを追い出したっていうのはなんとなく納得できますよね。

　スタジアムで「出世のチャンス」みたいな曲を歌っても、すでに出世しているわけだし、1977年のアルバムの曲をやったところでリアリティはひとつもないですからね。ジョー・ストラマーは歌うのがしんどくなってたんじゃないですかね。「反アメリカ」を一生懸命に歌ったところで滑稽でしかないというか。ジョー・ストラマーはほんとしんどかったんじゃないかなあ。「俺たち無理だよ、こういうのは向いてないよ」って。だからこそ絶頂期でミック・ジョーンズを追い出したんだと思いますね。普通だったらそんなことはしないですよね。

もしも『コンバット・ロック』の次にミック・ジョーンズが全開でアルバム
をプロデュースしていたら全米1位だって夢じゃなかったと思います。ミック・
ジョーンズを追い出さなきゃクラッシュもU2みたいになっていたかもしれないで
すね。4人とも結託していたらああいうふうになっていたかもしれない。
　ジョー・ストラマーとミック・ジョーンズのイデオロギーの違いを埋めるト
ッパー・ヒードンのような能天気な人がいなくなったというのも大きいですよね。
ビートルズにおけるリンゴ・スターの存在って大きいじゃないですか。最初に
トッパー・ヒードンがいなくなったことが崩壊の一歩というか、その時点で崩
壊は必然だったんじゃないかなという気がしますよね。

『コンバット・ロック』（UK）

『コンバット・ロック』（日本）

01：『コンバット・ロック』封入ポスター

02：『コンバット・ロック』封入ポスター（UK盤のみ）

01：『コンバット・ロック』封入ポスター

02：『コンバット・ロック』封入ポスター（UK盤のみ）

　『コンバット・ロック』はヒット作だけにたくさんの種類が出ています。このアルバムにはポスターが入っているんですけど、国によって入ってる枚数が違ったりするんです。日本盤はポスターが1枚なんですけど、UK盤には2枚。日本盤に入ってるポスターに加えて、ジャケットのデザインのポスターが入っています。真四角のポスターでかっこいいんですよね。

03：『コンバット・ロック』（メキシコ）

04：『コンバット・ロック』（イスラエル）

　イスラエル盤はやってますね。完全にやってます（笑）。これはやりすぎですよね。最初に見たときはブート盤だと思いました。盤を見るとEPICとあり、かつMADE IN ISRAELと書いてあるんですが、ジャケにはCBSの文字が。謎のイスラエル盤です。ジャケットのアーティスト写真も違ってますよね。同じ場所で撮ったアザーショットですね。裏が本来の写真になっています。デザインは別にしてこの写真をジャケットに使ったのはなかなかのセンスだなと思いますけどね。

05：『コンバット・ロック』（韓国）

　恒例の韓国盤ですね。韓国盤はUS盤をコピーしてジャケットを作ってるんですけど、相変わらず質は悪いですね。ジョー・ストラマーのステッカーもそのままコピーしています。ただ通常の位置（右上）に貼ってあるものではなく、違う位置（左上）に貼ってあるものをコピーしてるんです。ジョー・ストラマーの文字もつぶれていますよね。もしかしたらジョー・ストラマーのソロアルバムと間違えないようにわざと塗りつぶしたのかもしれません。

06：『コンバット・ロック』（US）ダイジェスト盤

　これは『コンバット・ロック』のダイジェスト盤ですね。『コンバット・ロック』と『ロンドン・コーリング』の曲がまざっていて、「ロック・ザ・カスバ」が1曲目に入っています。この頃はとにかくレコード会社もクラッシュでビジネ

スをやりたかったんでしょうね。

07：『コンバット・ロック』(US) プロモーション盤

これはUS盤のプロモーション盤なんですけど、ピクチャーレコードが2種類出ています。それくらいクラッシュにはレコード会社が力を入れていたんですね。これはプロモ盤なので、入手するには中古盤でプレミアがついているのを探すしかないですね。プロモ盤に関してはぼくたちが情報を得るのは難しいのでレコード店での出会いに期待するしかないです。これだけ長い時間いろいろなクラッシュのレコードを探して、3枚目に出会ったことがないので、たぶん、この2種類だけだと思います。ただ絶対ではないんです。『コンバット・ロック』ほど売れているアルバムになると他にもプロモ盤が存在する可能性はあります。これを読んでいる方で情報をお持ちの方は教えてほしいです。

08：「権利主張」(日本) プロモーション盤

これは日本のサンプル盤です。「オーヴァーパワード・バイ・ファンク」「カー・ジャミング」というカップリング曲のセンスが最高です。

09：「ステイ・オア・ゴー」(日本) プロモーション盤

これも日本のサンプル盤ですが、表が「ステイ・オア・ゴー」で、裏がメン・アット・ワークの「オーバーキル」なんです。この頃はクラッシュはかなりプッシュされているんですよね。だからいろいろなアイテムが出ているんです。

10：リーバイスの12インチシリーズ (UK)

時代はあとになるんですが、1991年3月に「ステイ・オア・ゴー」がリーバイスのCMになって、再発されたシングルが全英チャートで1位になるんです。そのときにクラッシュの12インチシングルがたくさん出たんです。これはその一連のレコードですね。

03：『コンバット・ロック』（メキシコ）

04：『コンバット・ロック』（イスラエル）

05：『コンバット・ロック』（韓国）

06：『コンバット・ロック』（US）ダイジェスト盤

07：『コンバット・ロック』（US）プロモーション盤

08：「権利主張」（日本）プロモーション盤

09：「ステイ・オア・ゴー」（日本）プロモーション盤

10：リーバイスの12インチシリーズ（UK）

　US盤はジャケットに貼ってあるステッカーがメンバーそれぞれの顔のバージョンがあるんです。4人のステッカーを揃えるのに5年くらいかかりました。みんな買ったあとにシュリンクを外しちゃうから、ステッカーがないUS盤が圧倒的に多いんですよ。こういうステッカーってあとで価値が出てくるけれど、買ったときには、どうでもいいようなものですからね。手に入れるのに苦労し

たのがトッパー・ヒードンです。逆に、一番出回っているのがポール・シムノンですね。ミック・ジョーンズも意外になかったかな。トッパー・ヒードンは本当に出てこなくて、どうしても見つからないので諦めかけたときに海外のオークションサイトに出たんですよ。「ついに出た！」と思いましたね。3人だけ持っていても、トッパーがなかったら、持ってないのと同じですからね（笑）。

『カット・ザ・クラップ』(Cut The Crap) UKオリジナル盤

1985年11月4日 英国リリース

1. ディクテイター Dictator　2. ダーティ・パンク Dirty Punk (Album Version)　3. ウィ・アー・ザ・クラッシュ We Are The Clash　4. アー・ユー・レッド..Y Are You Red..Y (Album Version)　5. クール・アンダー・ヒート Cool Under Heat　6. ムーヴァーズ・アンド・シェイカーズ Movers And Shakers　7. ディス・イズ・イングランド This Is England　8. スリー・カード・トリック Three Card Trick　9. プレイ・トゥ・ウィン Play To Win　10. フィンガーポッピン Fingerpoppin'　11. ノース・アンド・サウス North And South　12. ライフ・イズ・ワイルド Life Is Wild　13. ドゥー・イット・ナウ Do It Now (Album Version-Bonus Track ※再発時に収録)

ザ・クラッシュは解散せずに『カット・ザ・クラップ』をリリースします。すごく好きなアルバムなんですけど、ただ作品としては駄作ですよ。駄作がわかった上で好きなんです。このアルバムは出す必要はなかったんだけど、出したところがいかにもクラッシュらしいというか。こんな無様な姿を永久に残すなんて正気の沙汰じゃないですよね。でもそこもふくめてクラッシュなのかなと思います。本当は『サンディニスタ!』あたりで終わっていたらかっこよかったんだろうけれど、それじゃかっこよすぎますからね。

　このアルバムでクラッシュは音楽で原点回帰できなかったので、モヒカンにしたり、一番パンクっぽいことをベタにやっているんです。弾丸ベルトをしたりとか、いわゆるパンクのイメージを自分たちで踏襲してるんです。昔のパンクっぽさをコピーしているクラッシュもどうかと思うんですが、もうそれしか方法がなかったんじゃないかなと思うんですよね。

　ミック・ジョーンズという音楽的な支柱がいなくなって楽曲を作ってもまとめる人がいないわけだから、中途半端なまま出さざるを得なかった。その上に、ミック・ジョーンズが抜けた風当たりが思った以上に強かったんです。ミック・ジョーンズを解雇したことを誰も評価しませんでしたからね。それどころか「なんであんな大事な人をクビにしたんだ」という声が多くて。それを本人たちも感じていたんじゃないですかね。だからこそ「ミック・ジョーンズがいなくても俺たちはパンクなんだぜ」という存在を示すためにあえてパンクのイメージやパンクという言葉で自分たちを括っていくしかなかったんじゃないですかね。

　だって、このアルバムに入ってる「ダーティ・パンク」なんか、タイトルだけでもスーパーダサいじゃないですか。「ウィ・アー・ザ・クラッシュ」なんて、みんなが言わなくなったから自分たちで「俺たちはクラッシュだ」って言わなきゃならなくなったのかなと思いますしね。本来なら「ウィ・アー・ザ・クラッシュ」なんてクラッシュが言う必要ないんですよ。『サンディニスタ!』のときのクラッシュが言うわけがないですよね。だからアルバムのなかで「ウィ・アー・ザ・クラッシュ」が一番切ないですね。だけど言わなきゃしょうがなかったんだろうな。「今のクラッシュなんかクラッシュじゃないよ」って世界的に言われていたと思うんですよ。だから言うしかなかったという。

驚くことに、クラッシュはこのアルバムのツアーをやっているんですよ。ツアーグッズのセンスもいいんです。どれも欲しくなるようなグッズだったりするんです。ポスターもかっこいいし。このツアーの様子はブートレッグがアップされているんですけど、わりと演奏もプリミティブでかっこいいんですよ。このアルバムを引っさげてのツアーだったから、世の中は振り向かないんですけど、演奏はアグレッシブで、ライブは悪くないんです。

　それからクラッシュは全員でアコギを持ってツアーをまわったりもしたんですよね。草の根活動というか。裏を返すと「クラッシュは変わってないぜ」ということを表すのに必死だったんでしょうけど。

　あのまま無理して続けていたら『カット・ザ・クラップ』の反動でものすごくロックンロールなアルバムを出したんじゃないかなと思ったりもします。下手したらロカビリーのアルバムとかあったかもしれない。ポール・シムノンが選曲したロックンロールのカバーアルバムとか。ポール・シムノンがいる限り、そういうスタイリッシュなアルバムはできたような気がするんですよね。そうしたら評価は違っていたかもしれないなという気もします。

　ただそういうことすらもできなくなるような『カット・ザ・クラップ』というとんでもない十字架を背負うことになったんですよね。『カット・ザ・クラップ』も罪作りです。他人には勧められないです。

　現在のザ・クラッシュの公式ページからは『カット・ザ・クラップ』は外されているんです。ところがリマスター盤が出たんですよ。それでようやくこのアルバムも歴史の1ページに入れてもらえたという感じです。ジョー・ストラマーが亡くなったからOKになったのかなという気もするんですけどね。ジョー・ストラマーが生きていたら「やっぱりリマスターするのはやめよう」と言っていたかもしれない。罪作りという意味ではクラッシュらしいアルバムなのはたしかなんですが、いくらぼくでもこのアルバムに関しては「世間の評価のほうが正しいです」としか言えないですね。

01：『カット・ザ・クラップ』（日本）

02：『カット・ザ・クラップ』（UK）オレンジ

03：『カット・ザ・クラップ』（UK）赤

04：『カット・ザ・クラップ』（US）

01：『カット・ザ・クラップ』（日本）

　　このアルバムは最後のあだ花というかなんとも言えない感じがしますよね。ライナーノーツを書いた大貫憲章さんはこのアルバムが出る前に新生クラッシュのライブを見ていて、このアルバムの曲をライブでは激しくやっていたらしいんです。大貫さんも「曲も激しいし、次のアルバムはかっこいいんだろうな」と思っていたらしいんです。曲名も「ダーティ・パンク」とか攻撃的だし。そう思ってこのアルバムを聴いたら、ライブで見た印象との格差があまりにもありすぎてびっくりしたらしく、ライナーノーツにはそのことがずっと書いてあるんです。「このアルバムをこういうアレンジにした理由を自分なりに考えたい」みたいに、すごく戸惑っている様子を赤裸々に書いているんです。たしかにこの頃のブート盤でライブを聴くと、けっこうかっこいいんですよ。演奏も荒々しくて。そりゃこういうことを書きたくなるよなって。この頃はマネージャーが実権を握ってたんです。プロデューサー名はホセ・ウニドスになってますよね。これはマネージャーのバーニー・ローズのことなんですよね。

02：『カット・ザ・クラップ』（UK）オレンジ

03：『カット・ザ・クラップ』（UK）赤

　　UK盤は文字のまわりがオレンジなんですよ。このレコードはマトリックスが1A1Bなので最初期盤だと思います。ところがマトリックスが同じでも赤いものがあるんです。日本盤は赤いほうを採用しているんですよね。いろいろ調べてみると、後期に行くに連れて赤いほうが多くなっているので、オリジナルはオレンジだったと思います。普通、日本盤はオリジナルを踏襲するんですが、さすがにオレンジだと目立たないということで赤いほうにしたんじゃないですかね。

04：『カット・ザ・クラップ』（US）

　　US盤は文字のまわりがオレンジですね。曲名のステッカーが貼ってあるのが特徴ですね。

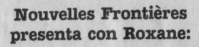

Nouvelles Frontières
presenta con Roxane:

26 LUGLIO

Culture Club
Depeche Mode
Stranglers
Brigades Musicales

27 LUGLIO

Clash
Nina Hagen
The Cure
Talk Talk
Telephone

Stadio Antico Panathinaikos - Atene

ATHENS
CULTURAL CAPITAL
OF EUROPE 1985

Atene, capitale dell'Anno Europeo della Musica

Ministero della Cultura e delle Scienze,
Segretariato alla Gioventù ed allo Sport di Grecia,
Ministero della Cultura Francese

Biglietto unico per le due giornate L. 36.000. Prevendita presso le Agenzie Nouvelles Frontieres:

**nouvelles
frontières**

Roma - V.le Divino Amore, 15 - Tel. 06/6765341/2/3/4/5.
Milano - c/o Airport, Via Vetere, 6 - Tel. 02/225130-379110.
Padova - Via V. Stefano Breda, 17 - Tel. 049/22544-25033.
Torino - c/o Exclusione, Via Fornaci, 4e - Tel. 011/329003-4.
Firenze - c/o Ciesse Travel, Via Cavour, 166 - Tel. 055/579294.
Palermo - c/o Medi Viaggi, Via Albanese, 93 - Tel. 091/334795.
Pisa - 56100 Via S. Francesco, 15 - Tel. 050/26156.
Verona - 37100 Via S. Vitale, 6 - Tel. 045/597999

in collaborazione con

Saper Viaggiare

1985年7月27日ギリシャでのラストライブのフライヤー

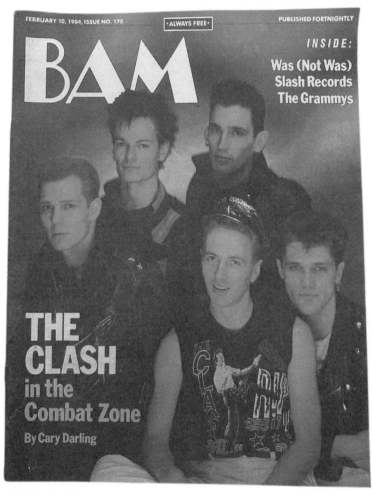

FEBRUARY 10, 1984, ISSUE NO. 175   •ALWAYS FREE•   PUBLISHED FORTNIGHTLY

BAM

INSIDE:

Was (Not Was)
Slash Records
The Grammys

THE CLASH
in the
Combat Zone
By Cary Darling

BAM1984年2月10日号
『カット・ザ・クラップ』リリース時のザ・クラッシュのメンバーが表紙に

『ザ・シングルズ』（The Singles）

1991年11月13日 英国リリース

1. 白い暴動 White Riot　**2.** リモート・コントロール Remote Control　**3.** コンプリート・コントロール Complete Control　**4.** クラッシュ・シティ・ロッカーズ Clash City Rockers　**5.** ハマースミス宮殿の白人（White man）in Hammersmith Palais　**6.** トミー・ガン Tommy Gun　**7.** イングリッシュ・シヴィル・ウォー（英国内乱）English Civil War　**8.** アイ・フォート・ザ・ロウ I Fought The Law　**9.** ロンドン・コーリング London Calling　**10.** トレイン・イン・ヴェイン Train in Vain　**11.** バンクロバー Bankrobber　**12.** ザ・コール・アップ The Call Up　**13.** ヒッツヴィルU.K. Hitsville U.K.　**14.** 7人の偉人 The Magnificent Seven　**15.** ディス・イズ・レディオ・クラッシュ This is Radio Clash　**16.** 権利主張 Know Your Rights　**17.** ロック・ザ・カスバ Rock The Casbah　**18.** ステイ・オア・ゴー Should I Stay or Should I Go

『ザ・シングルズ』(UK) リマスター盤

『ザ・シングルズ』からシングル・カットされた
「ロンドン・コーリング」（フランス）

　『ザ・シングルズ』はシングルのA面曲を発表順に収録した作品ですね。
ただし「ディス・イズ・イングランド」は入っていないです。付録にコラージュしたポスターが付いていて、裏面が歌詞カードになっています。あとから出たリマスター盤はジョー・ストラマーの位置が変わっているという。The Clashという文字が消えているのが気になったのかもしれませんね。そのときにフランスでこのアルバムから「ロンドン・コーリング」がシングル・カットされて12インチアナログ盤でリリースされています。カップリングは「This is Radio Clash」「Rock The Casbah」「Brand New Cadillac」です。

『クラッシュ・オン・ブロードウェイ』（Clash On Broadway）

1991年11月19日 英国リリース

第1章：アルバム編

〈DISC 1〉1. ジェニー・ジョーンズ（デモ）Janie Jones（Demo）　2. 出世のチャンス（デモ）Career Opportunities（Demo）　3. 白い暴動 White Riot（No Siren）　4. 1977 1977　5. 反アメリカ I'm So Bored With The U.S.A.　6. 憎悪・戦争 Hate&War　7. ワッツ・マイ・ネイム What's My Name　8. 否定 Deny　9. ロンドンは燃えている! London's Burning　10. 反逆ブルー Protex Blue　11. ポリスとコソ泥 Police&Thieves　12. 48時間 48 Hours　13. ペテン Cheat　14. ガレージランド Garageland　15. キャピタル・レディオ・ワン Capital Radio One　16. コンプリート・コントロール Complete Control　17. クラッシュ・シティ・ロッカーズ Clash City Rockers　18. 死の街 City Of The Dead　19. ジェイル・ギター・ドアーズ Jail Guitar Doors　20. ザ・プリズナー The Prisoner　21. ハマースミス宮殿の白人（White Man）In Hammersmith Plais　22. プレッシャー・ドロップ Pressure Drop　23. 1-2 クラッシュ・オン・ユー 1-2 Crush On You　24. イングリッシュ・シヴィル・ウォー（英国内乱）（Live）English Civil War（Live）　25. アイ・フォート・ザ・ロウ（Live）I Fought The Law（Live）　〈DISC 2〉1. セイフ・ヨーロピアン・ホーム Safe European Home　2. トミー・ガン Tommy Gun　3. ジュリーはドラッグ・スクワッドで働いている Julie's Been Working For The Drug Squad　4. ステイ・フリー Stay Free　5. ワン・エモーション One Emotion（Previously unreleased from Give 'Em Enough Rope sessions）　6. グルーヴィー・タイムズ Groovy Times　7. ゲイツ・オブ・ザ・ウエスト Gates Of The West　8. ハルマゲドン・タイム Armagideon Time（Album Version）　9. ロンドン・コーリング London Calling　10. 新型キャディラック Brand New Cadillac　11. しくじるなよ、ルーディ Rudie Can't Fail　12. ブリクストンの銃 The Guns Of Brixton　13. スペイン戦争 Spanish Bombs　14. ロスト・イン・ザ・スーパーマーケット Lost In The Supermarket　15. ニューヨーク42番街 The Right Profile　16. いかさまカード師 The Card Cheat　17. 死か栄光か Death Or Glory　18. クランプダウン Clampdown　19. トレイン・イン・ベイン Train In Vain　20. バンクロバー Bankrobber　〈DISC 3〉1. ポリス・オン・マイ・バック Police On My Back　2. 7人の偉人 The Magnificent Seven　3. 政府の指導者 The Leader　4. ザ・コール・アップ The Call Up　5. 誰かが殺された Somebody Got Murdered　6. サンディニスタ!（ワシントンの銃弾）Washington Bullets　7. ブロードウェイ Broadway　8. ライトニング・ストライクス（電光一閃!おんぼろニューヨークを直撃）（Live）Lightning Strikes（Not Once But Twice）（Live）　9. エヴリ・リトル・ビット・ハーツ Every Little Bit Hurts（Previously Unreleased）　10. ストップ・ザ・ワールド Stop The World　11. ミッドナイト・トゥ・スティーヴンス Midnight To Stevens（Previously Unreleased）　12. ディス・イズ・レディオ・クラッシュ This Is Radio Clash　13. クール・コンフュージョン Cool Confusion　14. レッド・エンジェル・ドラグネット Red Aangel Dragnet（Edited Version）　15. ゲットーの被告人 Ghetto Defendant（Edited Version）　16. ロック・ザ・カスバ Rock The Casbah　17. ステイ・オア・ゴー Should I Stay or Should I Go　18. ストレイト・トゥ・ヘル Straight To Hell（Unedited Version）　19. ストリート・パレード（シークレットトラック）The Street Parade（Hidden Track: should not be listened on The package）

『クラッシュ・オン・ブロードウェイ』（日本）

『クラッシュ・オン・ブロードウェイ』（日本）再発
デジパック仕様

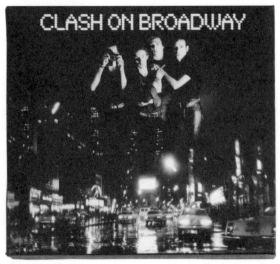

『クラッシュ・オン・ブロードウェイ』（日本）再発
CDサイズ

『クラッシュ・オン・ブロードウェイ』(日本)
プロモーション盤

　　未発表のデモ、ライブ、セッション等とアルバム未収録だったシングルを
加えて年代順にまとめた作品ですね。全63曲、CD3枚に及ぶ集大成的な内
容で、当時、ここでしか聴けなかった曲を3曲収録しています。だから、これ
がリリースされたときには相当興奮しましたね。ブックレットも秀逸だし。アナ
ログ盤は出ていません。出してほしいんですけどね。2001年にCDのサイズで
再リリースされ、2004年に再び縦長のデジパック仕様になってリリースされて
います。上はプロモーション・オンリーのダイジェスト盤です。

『スーパー・ブラック・マーケット・クラッシュ』（Super Black Market Clash）

1994年3月1日 英国リリース

1. 1977 1977　**2.** リッスン Listen　**3.** ジェイル・ギター・ドアーズ Jail Guitar Doors　**4.** 死の街 City Of The Dead
5. ザ・プリズナー The Prisoner　**6.** プレッシャー・ドロップ Pressure Drop　7. 1-2・クラッシュ・オン・ユー 1-2
Crush On You　**8.** グルーヴィー・タイムズ Groovy Times　**9.** ゲイツ・オブ・ザ・ウェスト Gates Of The West　**10.**
キャピタル・レディオ・ツー Capital Radio Two　**11.** タイム・イズ・タイト Time Is Tight　**12.** ジャスティス・トゥナイ
ト/キック・イット・オーヴァー Justice Tonight/Kick It Over　**13.** ロバー・ダブ Robber Dub　**14.** ザ・クール・アウト
The Cool Out　**15.** ストップ・ザ・ワールド Stop The World　**16.** マグニフィセント・ダンス The Magnificent Dance
17. レディオ・クラッシュ Radio Clash　**18.** ファースト・ナイト・バック・イン・ロンドン First Night Back In London
19. ロング・タイム・ジャーク Long Time Jerk　**20.** クール・コンフュージョン Cool Confusion　**21.** ムスタファ・ダ
ンス Mustapha Dance

1980年にUS盤でリリースされた『ブラック・マーケット・クラッシュ』を再編集したのがこの作品です。『ブラック・マーケット・クラッシュ』に収録されていた「キャピタル・レディオ・ワン」「ペテン」「バンクロバー/ロバー・ダブ」「ハルマゲドン・タイム」は未収録で、代わりに「ザ・クール・アウト」（「ザ・コール・アップ」のリミックス）や「ロング・タイム・ジャーク」（「ロック・ザ・カスバ」のB面に収録された同曲のショート・エディット・ヴァージョン）など、他の編集盤には入っていない作品が収録されています。アナログ盤は10インチの3枚組ですね。ひじょうに珍しいですね。当時はわりと簡単に入手できたんですが、今はけっこうプレミアがついていますね。CDは1枚でリリースされました。

『ザ・ストーリー・オブ・ザ・クラッシュ』（The Story of THE CLASH Volume 1）

1998年2月29日 英国リリース

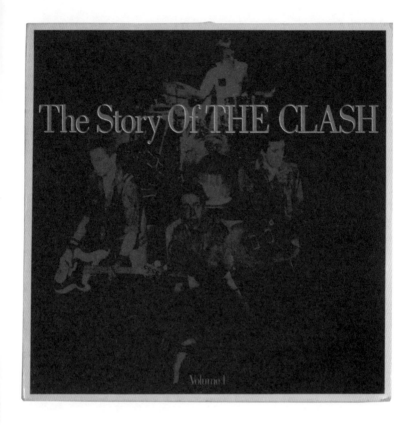

〈DISC 1〉1. 7人の偉人 The Magnificent Seven　2. ロック・ザ・カスバ Rock The Casbah　3. ディス・イズ・レディ
オ・クラッシュ This Is Radio Clash　4. ステイ・オア・ゴー Should I Stay or Should I Go　5. ストレイト・トゥ・ヘル
Straight to Hell　6. ハルマゲドン・タイム Armagideon Time　7. クランプダウン Clampdown　8. トレイン・イン・
ベイン Train in Vain　9. ブリクストンの銃 The Guns of Brixton　10. アイ・フォート・ザ・ロウ I Fought The Law
11. 誰かが殺された Somebody Got Murdered　12. ロスト・イン・ザ・スーパーマーケット Lost in The Supermarket
13. バンクロバー Bankrobber　〈DISC 2〉1. ハマースミス宮殿の白人 (White Man) In Hammersmith Palais　2.
ロンドンは燃えている! London's Burning　3. ジェニー・ジョーンズ Janie Jones　4. トミー・ガン Tommy Gun　5.
コンプリート・コントロール Complete Control　6. キャピタル・レディオ・ワン Capital Radio One　7. 白い暴動
White Riot　8. 出世のチャンス Career Opportunities　9. クラッシュ・シティ・ロッカーズ Clash City Rockers
10. セイフ・ヨーロピアン・ホーム Safe European Home　11. ステイ・フリー Stay Free　12. ロンドン・コーリング
London Calling　13. スペイン戦争 Spanish Bombs　14. イングリッシュ・シヴィル・ウォー (英国内乱) English
Civil War　15. ポリスとコソ泥 Police & Thieves

『ザ・ストーリー・オブ・ザ・クラッシュ』(US)

『ザ・ストーリー・オブ・ザ・クラッシュ』(日本)

　『ザ・ストーリー・オブ・ザ・クラッシュ』は2枚組のコンピレーション・アルバムです。US盤は印刷が青になります。このジャケットは赤と青が存在するんですよね。各国によって違います。チェコ盤は青で日本盤は赤ですね。ただ日本盤はCDのみしか出ていなくてアナログ盤はないです。あとUK盤はシングルジャケットですけど、US盤はダブルジャケットになっています。US盤のダブルジャケットに書かれたクラッシュのストーリーがUK盤ではレコードの袋に印刷されているんです。このレコードは「Volume 1」と書かれているんですが、残念ながら「Volume 2」以降は現時点ではリリースされていません。

『ライブ・クラッシュ』(From Here To Eternity: Live)

1999年10月4日 英国リリース

1. コンプリート・コントロール Complete Control 2. ロンドンは燃えている! London's Burning 3. ワッツ・マイ・ネーム What's My Name 4. クラッシュ・シティ・ロッカーズ Clash City Rockers 5. 出世のチャンス Career Opportunities 6. ハマースミス宮殿の白人 (White Man) In Hammersmith Palais 7. キャピタル・レディオ Capital Radio 8. 死の街 City Of The Dead 9. アイ・フォート・ザ・ロウ I Fought The Law 10. ロンドン・コーリング London Calling 11. ハルマゲドン・タイム Armagideon Time 12. トレイン・イン・ヴェイン Train in Vain 13. ブリクストンの銃 The Guns of Brixton 14. 7人の偉人 The Magnificent Seven 15. 権利主張 Know Your Rights 16. ステイ・オア・ゴー Should I Stay or Should I Go 17. ストレイト・トゥ・ヘル Straight to Hell

公式ドキュメンタリー映画『ウエストウェイ・トゥ・ザ・ワールド』の公開に合わせてリリースされた作品ですね。ひとつのツアーやライブをレコーディングしたのではなく、いろいろなライブ音源が入っているために音はバラバラです。なので、悪くはないんですけど、クラッシュの魅力をそこまで伝えられていないように思います。どこかの国でやったライブの曲順で収録されたらしいんですけどね。クラッシュのライブは映像が付いていたほうがいいですね。ぼくの場合、どうしても動いているクラッシュの姿を見たくなるんですよね。

『エッセンシャル・クラッシュ』(The Essential Clash)

2003年3月11日 英国リリース

〈DISC 1〉1. 白い暴動 White Riot 2. 1977 1977 3. ロンドンは燃えている! London's Burning 4. コンプリート・コントロール Complete Control 5. クラッシュ・シティ・ロッカーズ Clash City Rockers 6. 反アメリカ I'm So Bored With the U.S.A. 7. 出世のチャンス Career Opportunities 8. 憎悪・戦争 Hate & War 9. ペテン Cheat 10. ポリスとコソ泥 Police & Thieves 11. ジェニー・ジョーンズ Janie Jones 12. ガレージランド Garageland 13. キャピタル・レディオ・ワン Capital Radio One 14. ハマースミス宮殿の白人 (White Man) In Hammersmith Palais 15. イングリッシュ・シヴィル・ウォー (英国内乱) English Civil War 16. トミー・ガン Tommy Gun 17. セイフ・ヨーロピアン・ホーム Safe European Home 18. ジュリーはドラッグ・スクワッドで働いている Julie's Been Working for the Drug Squad 19. ステイ・フリー Stay Free 20. グルーヴィー・タイムズ Groovy Times 21. アイ・フォート・ザ・ロウ I Fought the Law 〈DISC 2〉1. ロンドン・コーリング London Calling 2. ブリクストンの銃 The

これはソニーのベスト盤企画「エッセンシャル・シリーズ」の一環としてリリースされたものです。UK盤は41曲を、US、日本盤は40曲を収録。

Guns of Brixton 　**3.** クランプダウン Clampdown 　**4.** しくじるなよ、ルーディ Rudie Can't Fail 　**5.** ロスト・イン・ザ・スーパーマーケット Lost in the Supermarket 　**6.** ジミー・ジャズ Jimmy Jazz 　**7.** トレイン・イン・ベイン Train In Vain 　**8.** バンクロバー Bankrobber 　**9.** 7人の偉人 The Magnificent Seven 　**10.** イワンがG.I.ジョーに会う時 Ivan Meets G.I. Joe 　**11.** ポリス・オン・マイ・バック Police on My Back 　**12.** ストップ・ザ・ワールド Stop The World 　**13.** 誰かが殺された Somebody Got Murdered 　**14.** ストリート・パレード The Street Parade 　**15.** ディス・イズ・レディオ・クラッシュ This Is Radio Clash 　**16.** ゲットーの被告人 Ghetto Defendant 　**17.** ロック・ザ・カスバ Rock The Casbah 　**18.** ストレイト・トゥ・ヘル Straight To Hell 　**19.** ステイ・オア・ゴー Should I Stay or Should I Go 　**20.** ディス・イズ・イングランド This is England

『ザ・クラッシュ・シングルズ '77–'85』(the Clash SINGLES '77–'85)

2006年10月30日 英国リリース (Single Box Set)

1. 白い暴動 White Riot/1977 1977　**2.** リッスン (Edit) Listen (Edit) /インタヴュー：トニー・パーソンズ、ザ・クラ
ッシュ (Pt.1) Interview With The Clash On The Circle Line (Pt.1) /インタヴュー：トニー・パーソンズ、ザ・クラッシ
ュ (Pt.2) Interview With The Clash On The Circle Line (Pt.2) /キャピタル・レディオ Capital Radio One　**3.** リモー
ト・コントロール Remote Control/ロンドンは燃えている (Live) London's Burning (Live)　**4.** コンプリート・コント
ロール Complete Control/死の街 City Of The Dead　**5.** クラッシュ・シティ・ロッカーズ Clash City Rockers/ジェ
イル・ギター・ドアーズ Jail Guitar Doors　**6.** ハマースミス宮殿の白人 (White Man) In Hammersmith Palais/ザ・
プリズナー The Prisoner　**7.** トミー・ガン Tommy Gun/1-2 クラッシュ・オン・ユー 1-2 Crush On You　**8.** イングリッ
シュ・シヴィル・ウォー (英国内乱) English Civil War (Johnny Comes Marching Home) /プレッシャー・ドロップ
Pressure Drop　**9.** アイ・フォート・ザ・ロウ I Fought The Law/グルーヴィー・タイムズ Groovy Times/ゲイツ・オブ・
ザ・ウエスト Gates Of The West/キャピタル・レディオ・ツー Capital Radio Two　**10.** ロンドン・コーリング London
Calling/ハルマゲドン・タイム Armagideon Time　**11.** バンクロバー Bankrobber/ロッカーズ・ガロア (feat.Mikey
Dread) Rockers Galore…UK Tour (feat.Mikey Dread)　**12.** ザ・コール・アップ The Call Up/ストップ・ザ・ワールド
Stop The World　**13.** ヒッツヴィル U.K. Hitsville U.K./レディオ・ワン Radio One　**14.** 7人の偉人 (Edit) The Mag-
nificent Seven (Edit) /マグニフィセント・ダンス (Edit) The Magnificent Dance (Edit)　**15.** ディス・イズ・レディオ・
クラッシュ This Is Radio Clash/レディ・クラッシュ Radio Clash　**16.** 権利主張 Know Your Rights/ファースト・ナイ
ト・バック・イン・ロンドン First Night Back In London　**17.** ロック・ザ・カスバ Rock The Casbah/ロング・タイム・ジ
ャーク Long Time Jerk　**18.** ステイ・オア・ゴー Should I Stay or Should I Go/ストレイト・トゥ・ヘル Straight to Hell
19. ディス・イズ・イングランド This Is England/ドゥ・イット・ナウ Do It Now

1980年に日本で企画されたシングルボックスに、あらたに80年〜85年に
UKでリリースされたシングルを追加して全19枚の7インチ・アナログ盤を収納
したボックスセットです。このボックスには「ディス・イズ・イングランド」も収
録されています。

『ライヴ・アット・シェイ・スタジアム』(Live At Shea Stadium)

2008年10月6日 英国リリース

1. コズモ・ヴァイナル・イントロダクション Kosmo Vinyl Introduction　2. ロンドン・コーリング London Calling　3. ポリス・オン・マイ・バック Police on My Back　4. ブリクストンの銃 The Guns of Brixton　5. トミー・ガン Tommy Gun　6. 7人の偉人 The Magnificent Seven　7. ハルマゲドン・タイム Armagideon Time　8. 7人の偉人 (Return) The Magnificent Seven (Return)　9. ロック・ザ・カスバ Rock The Casbah　10. トレイン・イン・ヴェイン Train in Vain　11. 出世のチャンス Career Opportunities　12. スペイン戦争 Spanish Bombs　13. クランプダウン Clampdown　14. イングリッシュ・シヴィル・ウォー (英国内乱) English Civil War　15. ステイ・オア・ゴー Should I Stay or Should I Go　16. アイ・フォート・ザ・ロウ I Fought The Law

ジョー・ストラマーが自宅でこのテープを見つけてレコード化した作品ですね。1982年10月12日と13日にザ・フーのオープニングアクトとしてシェイ・スタジアムで行ったライブをレコーディングしたものです。バンドが分裂する間近ですから、その感じは否めないですね。クラッシュの終わりが見えている感じはします。鬼気迫る演奏では決してないというか。家にあったテープを掘り起こしてレコード化したのはいいんですけど、そこまでしてリリースしなくてもよかったんじゃないかという気はします。日本盤の初回盤はブックタイプになっていて、後に普通のプラケースになりました。そのときにピクチャー盤のシングルがリリースされていますね。

『ライヴ・アット・シェイ・スタジアム』ピクチャー盤のシングル

『ヒッツ・バック』(The Clash Hits Back)

2013年9月9日 英国リリース

〈DISC 1〉1. ロンドン・コーリング London Calling　2. セイフ・ヨーロピアン・ホーム Safe European Home　3. 権利主張 Know Your Rights　4. ハマースミス宮殿の白人（White Man）In Hammersmith Palais　5. ジェニー・ジョーンズ Janie Jones　6. ブリクストンの銃 The Guns of Brixton　7. トレイン・イン・ベイン Train in Vain　8. バンクロバー Bankrobber　9. ロンゲム・ボヨ Wrong 'Em Boyo　10. 7人の偉人 The Magnificent Seven　11. ポリス・オン・マイ・バック Police on My Back　12. ロック・ザ・カスバ（ボブ・クリアマウンテン・12"ミックス）Rock the Casbah（Bob Clearmountain 12" Mix）　13. 出世のチャンス Career Opportunities　14. ポリスとコソ泥 Police & Thieves　15. 誰かが殺された Somebody Got Murdered　16. 新型キャディラック Brand New Cadillac　17. クランプダウン Clampdown　〈DISC 2〉1. ゲットーの被告人 Ghetto Defendant　2. ハルマゲドン・タイム Armagideon Time　3. ステイ・フリー Stay Free　4. アイ・フォート・ザ・ロウ I Fought the Law　5. ストレイト・トゥ・ヘル Straight to Hell　6. ステイ・オア・ゴー Should I Stay or Should I Go　7. ガレージランド Garageland　8. 白い暴動 White Riot　9. コンプリート・コントロール Complete Control　10. クラッシュ・シティ・ロッカーズ Clash City Rockers　11. トミー・ガン Tommy Gun　12. イングリッシュ・シヴィル・ウォー（英国内乱）English Civil War　13. ザ・コール・アップ The Call Up　14. ヒッツヴィル U.K. Hitsville U.K.　15. レディオ・クラッシュ Radio Clash

『サンディニスタ!』インタビューレコード

『サンディニスタ!』インタビューレコード(完全版)

　CDだと2枚組ですがアナログ盤だと3枚組ですね。スリーブが秀逸です。曲順に関しては1982年7月10日に行われた「ザ・カスバ・クラブ」全英ツアーのブリクストン・フェアディール公演のセットリストに基づいているそうです。今までのベストには入っていない代表曲も入っています。付録としてジャケットと同じデザインのポスターが付いています。このジャケットの元の写真は『サンディニスタ!』のときにプロモーション用にリリースされたクラッシュのインタビューレコードのものですね。コアなファンはこの写真は知っていたので、これがジャケットに使われたときにはけっこう話題になりましたね。

『サウンド・システム』（Sound System）

2013年9月9日 英国リリース（Box Set）

ザ・クラッシュのメンバー自ら監修したリマスター・アルバムとレア音源や映像をコンパイルしたボックスセットです。ラジカセ風のジャケットはポール・シムノンがデザインしました。

〈DISC 1〉Al『The Clash』(Remastered)　〈DISC 2〉Al『Give 'Em Enough Rope』(Remastered)　〈DISC 3–4〉Al『London Calling』(Remastered)　〈DISC 5–7〉Al『Sandinista!』(Remastered)　〈DISC 8〉Al『Combat Rock』(Remastered)　〈DISC 9〉1. White Riot (Single version)　2. 1977 (B-side)　3. Listen (Capital Radio EP) /Interviews (Capital Radio EP)　4. Capital Radio (Capital Radio EP)　5. London's Burning (Live B-side Remote Control)　6. Complete Control (Single version)　7. City Of The Dead (B-side)　8. Clash City Rockers (Original single version)　9. Jail Guitar Doors (B-side)　10. (White Man) In Hammersmith Palais (A-side)　11. The Prisoner (B-side)　12. 1-2Crush On You (B-side Tommy Gun)　13. Time Is Tight (Black Market Clash)　14. Pressure Drop (B-side English Civil War)　15. I Fought The Law (Cost Of Living EP)　16. Groovy Times (Cost Of Living EP)　17. Gates Of The West (Cost Of Living EP)　18. Capital Radio (Cost Of Living EP)　19. Armagideon Time　20. Bankrobber (A-side)　21. Rockers Galore On A UK Tour (B-side)　〈DISC 10〉1. Magnificent Dance (12") 5:36 (available on Singles box set)　2. Midnight To Stevens (Outtake)　3. Radio One (B-side Hitsville U.K.)　4. Stop The World (B-side The Call Up)　5. The Cool Out (US 12" B-side of The Call Up)　6. This Is Radio Clash (A-side)　7. This Is Radio Clash (B-side 7" – different lyrics)　8. First Night Back In London (B-side Know Your Rights)　9. Rock The Casbah (Bob Clearmountain 12" mix)　10. Long Time Jerk (B-side Rock The Casbah)　11. The Beautiful People Are Ugly Too (Outtake)　12. Idle In Kangaroo Court (Outtakelisted as Kill Time)　13. Ghetto Defendant (Extended version - unedited)　14. Cool Confusion (B-side Should I Stay or Should I Go 7")　15. Sean Flynn (Extended 'Marcus Music' version)　16. Straight To Hell (Extended unedited version from Clash On Broadway)　〈DISC 11〉1. I'm So Bored With The USA　2. London's Burning　3. White Riot　4. 1977　5. Janie Jones　6. Career Opportunities　7. London's Burning　8. 1977　9. White Riot (Live at The Lyceum, London 28th December 1978)　10. City Of The Dead　11. Jail Guitar Doors　12. English Civil War　13. Stay Free　14. Cheapstakes　15. I Fought The Law　〈DVD〉1. Julian Temple Archive　2. White Riot Interview　3. Sussex University 1977 (Live)　4. Don Letts Super 8 Medley (Live)　5. Clash on Broadway (Documentary)　6. The Clash Promo Videos (Tommy Gun/London Calling/Bankrobber/Clampdown-Live/Train in Vain-Live/The Call Up/Rock the Casbah/Radio Clash/Should I Stay or Should I Go-Live/Career Opportunities-Live)

　　クラッシュから世界に向けてのメッセージを最もダイレクトに受け取れるア
イテムがシングルだと思っています。サウンドシステムを思わせるスピーカー、
リキテンスタインが描く銃口、ジョージ・オーウェルの動物農場、バーコードに
立てられた中指、旧住友銀行広島支店の入り口にあった階段、ROUGH
TRADE や POSTCARD のロゴマーク。クラッシュが何と闘い、何に共感を得てい
たのか、シングルのジャケットがそのすべてを物語っています。これらの意味
を調べるだけでも、世界は拡がります。それがクラッシュと生きていくというこ
となのです。

オリジナルシングル

01

02

03

04

05

06

07

08

09

10

11

12

13

14

15

16

17

18

19

オリジナルシングル：

01. 白い暴動 White Riot　1977 1977

02.「キャピタル・レディオEP」

リッスン (Edit) Listen (Edit)

インタヴュー：トニー・パーソンズ ザ・クラッシュ (Pt.1) Interview With The Clash On The Circle Line (Pt.1)

インタヴュー：トニー・パーソンズ ザ・クラッシュ (Pt.2) Interview With The Clash On The Circle Line (Pt.2)

キャピタル・レディオ Capital Radio One

03. リモート・コントロール Remote Control　ロンドンは燃えている! (Live) London's Burning (Live)

04. コンプリート・コントロール Complete Control　死の街 City Of The Dead

05. クラッシュ・シティ・ロッカーズ Clash City Rockers　ジェイル・ギター・ドアーズ Jail Guitar Doors

06. ハマースミス宮殿の白人 (White Man) In Hammersmith Palais　ザ・プリズナー The Prisoner

07. トミー・ガン Tommy Gun　1-2 クラッシュ・オン・ユー 1-2 Crush On You

08. イングリッシュ・シヴィル・ウォー (英国内乱) English Civil War (Johnny Comes Marching Home)

プレッシャー・ドロップ Pressure Drop

09.「コスト・オブ・リヴィングEP」

アイ・フォート・ザ・ロウ I Fought The Law　グルーヴィー・タイムズ Groovy Times

ゲイツ・オブ・ザ・ウエスト Gates Of The West　キャピタル・レディオ・ツー Capital Radio Two

10. ロンドン・コーリング London Calling　ハルマゲドン・タイム Armagideon Time

11. バンクロバー Bankrobber　ロッカーズ・ガロア (feat.Mikey Dread) Rockers Galore…UK Tour (feat.Mikey Dread)

12. ザ・コール・アップ The Call Up　ストップ・ザ・ワールド Stop The World

13. ヒッツヴィルU.K. Hitsville U.K.　レディオ・ワン Radio One

14. 7人の偉人 (Edit) The Magnificent Seven (Edit)　マグニフィセント・ダンス (Edit) The Magnificent Dance (Edit)

15. ディス・イズ・レディオ・クラッシュ This Is Radio Clash　レディオ・クラッシュ Radio Clash

16. 権利主張 Know Your Rights　ファースト・ナイト・バック・イン・ロンドン First Night Back In London

17. ロック・ザ・カスバ Rock The Casbah　ロング・タイム・ジャーク Long Time Jerk

18. ステイ・オア・ゴー Should I Stay or Should I Go　ストレイト・トゥ・ヘル Straight to Hell

19. ディス・イズ・イングランド This Is England　ドゥ・イット・ナウ Do It Now

p.104–105
各国シングル：

01. London Calling（ブラジル／ぼくがジャケットに貼ってあったシール剥がしに失敗した痛恨の1枚です）

02. ロンドン・コーリング（日本）

03. London Calling（オーストラリア）

04. London Calling（アイルランド）

05. アイ・フォート・ザ・ロウ（日本）

06. ザ・コール・アップ（日本）

07. レディオ・クラッシュ（日本）

08. バンクロバー（日本）

09. 権利主張（日本）

10. ロック・ザ・カスバ（日本）

11. ステイ・オア・ゴー（日本）

12. ディス・イズ・イングランド（日本）

13. Should I Stay Or Should I Go（US）

14. The Clash Flash incl. Should I Stay Or Should I Go　The Magnificent Seven
Rock The Casbah　London Calling（スペイン）

15. The Magnificent Seve（オランダ）

16.（White Man）In Hammersmith Palais（オランダ）

17. This Is Radio Clash（スペイン）

18. Train In Vain（ニュージーランド）

19. Complete Control（スペイン）

20. Somebody Got Murdered（スペイン）

21. Should I Stay Or Should I Go（スペイン）

22. The Magnificent Seven（スペイン）

23. White Riot（イタリア）

24. ザ・クラッシュ・シングルズ '77-'79
（日本／ポール・シムノンがアートワークを担当した1980年リリースのシングルボックス）

25. London Calling プロモ盤（ポーランド）

26. ロンドン・コーリング プロモ盤（日本）

27. Clampdown（オーストラリア／クラッシュのシングルの中でも入手困難な一枚）

各国シングル

01

ロンドン・コーリング
ハルマゲドン・タイム

02

03

04

『アイ・フォート・ザ・ロウ』
ザ・クラッシュ

ハマースミス宮殿の白人

05

THE CALL UP

THE CLASH

06

Radio CLASH

07

BANKROBBER

THE CLASH

08

★ THE CLASH ★
ザ・クラッシュ

権利主張

KNOW YOUR RIGHTS

09

THE CLASH
ザ・クラッシュ

ロックン
ROCK THE CASBAH

10

THE CLASH

11

THE
CLASH

THIS IS
ENGLAND

12

THE CLASH

13

The Clash
Flash

Should I stay or should I go · The magnificent seven
Rock the casbah · London calling

14

★ THE CLASH ★
The magnificent seven

15

16

17

18

19

20

21

22

23

24

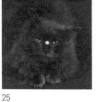

25

26

27

01

02

03

06

07

08

04

05

09

10

01. London Calling（UK／ロンドン五輪を記念してリリース）

02. London Calling（UK／『ザ・ストーリー・オブ・ザ・クラッシュ』からのシングルカット）

03. ザ・クラッシュとニール・ヤングのスプリット・プロモーション盤（ブラジル）

04. Are You Red..Y（オーストラリア／オーストラリアのみでリリースされたシングルのプロモ盤）

05. Three Card Trick（オーストラリア／04のB面）

06. The Magnificent Seven プロモーション盤（スペイン）

07. Danger Love　The Vice Creems（ミック・ジョーンズとトッパー・ヒードンが変名で参加）

08. Should I Stay Or Should I Go?（US／A面のみのシングル）

09. Clash Pack（アイルランド／1983年にリリースされた7インチシングルの4枚セット）

10. アルバムジャケットがそのままシングルのジャケットになったレコード（スペイン、ドイツ）

各メンバーがジャケットになったシングル盤
01. London Calling（スペイン／ポール・シムノン）
02. Train In Vain（スペイン／トッパー・ヒードン）
03. Train In Vain（ドイツ／ミック・ジョーンズ）
04. Rudie Can't Fail（オランダ／ジョー・ストラマー）

01

02

03

04

世界に1枚しかないザ・クラッシュのシングル

　　この7インチシングルはミュージシャン7組の楽曲を1曲ずつ選んで100枚
限定でプレスする「Secret 7"」という企画の1枚です。ジャケットは700組のア
ーティストがデザインしているので、700枚すべて違うデザインになっています。
このレコードのジャケットはCHARLIE KWAI氏が手がけています。収録曲は
「I'm Not Down」です。このシングルは2018年にリリースされました。

たくさんのザ・クラッシュのレコードを紹介してきましたが、これを読んでいる若いリスナーでこれからクラッシュを聴こうという人がいたら、『ロンドン・コーリング』から聴くのをおすすめします。一番聴きやすいし、いろいろなジャンルの音楽を聴くときの窓口になるし、ある意味、どんな分厚い音楽ガイドよりもいい音楽ガイドだと思いますね。あれを聴いてジャズを聴くようになるかもしれないし、スカやレゲエを聴くようになるかもしれない。ロカビリーにも行けるし。ロックのディスコグラフィー本を買うよりまずは『ロンドン・コーリング』を聴くのがいいと思います。

　ぼくの場合、順序としては『白い暴動』を聴いて、その次に『コンバット・ロック』を聴きました。これはもう世代的にそうなりますよね。『コンバット・ロック』はリアルタイムでしたから。次に『ロンドン・コーリング』を聴いて『動乱』を聴いて『サンディニスタ!』ですね。『カット・ザ・クラップ』に関してはクラッシュを聴くという感覚ではなかったような気がします。今となっては『カット・ザ・クラップ』もひじょうに愛しいんですけど。

　音楽はジャンルじゃないんだなと思わせてくれたのが『サンディニスタ!』です。人によってはパンクには聴こえないだろうけど、その人がパンクだと思えばパンクだし、そうやって人が思うものがジャンルだということを『サンディニスタ!』から学びました。『サンディニスタ!』を聴いたことで、よりジャズを聴くようになったりスカやレゲエを聴くようになりました。カバー曲が入っているのでオリジナルを聴いてみたいなと思って、そこからレコードを買う楽しさを知りました。

　だから、一番好きなアルバムは『サンディニスタ!』です。そう思うようになったのは30過ぎたあたりからですかね。正直、20歳手前くらいの自分には何がいいのかわからなくて。もちろんかっこいい曲もあるし、いいなと思う曲もありましたけど、その頃はかっこつけて聴いていたというか。『サンディニスタ!』を好きだと言うとかっこいいと思われる雰囲気もあったから「『サンディニスタ!』いいよね」みたいに言っていたんだと思います。本当に良さがわかったのは30過ぎてからですね。

　アルバム紹介のところでも言いましたけど、情熱をカタチにできることはこんなにすごいことなんだというところがすごいですね。それがたぶん『サン

ディニスタ!』のすべてだと思うんです。3枚組にする必要はないんだけど、その当時のクラッシュは3枚組を作るくらいの情熱があったという。その情熱を実現できるくらいの、世の中を動かすだけの熱量があったという。同時に熱量があれば不可能も可能になると思わせてくれたりとか、いろいろ考えさせてくれたアルバムではありますね。

　クラッシュはパンクと言われているバンドのなかでは一番パンクじゃないんだけど、行動が一番パンクなんです。アティチュードがパンクなんです。だからぼくもそういう意味で革ジャンを着たこととかはほぼなくて。たぶん、ぼくがクラッシュをこんなに好きだということは普段接している人たちはわからないと思うんですよね。クラッシュのTシャツを着ているわけではないし。「パンクはスタイルではない。アティチュードだ（Punk is attitude. Not style.）」ということをクラッシュから教わっているので、自分がわかっていればいいんです。革ジャンを着てなくても黙々とクラッシュのレコードを見つけたら買う。もちろん革ジャンを着ていてもいいんですよ。でも、ぼくは普通に日常生活に溶け込みつつクラッシュを愛したいんです。ぼくのクラッシュ道はそれでいいと思っています。

　例えば誰かに「クラッシュが好きなんです」と言われたとして、マニアの人は「クラッシュのどこが好きなの？」と訊き返しがちなんですけど、ぼくはそう言われたときにはただひと言、「クラッシュ、最高だよね！」って言うんですよね。なぜかと言うと「クラッシュはセカンドまでだよね」とか「『サンディニスタ!』はパンクじゃないよね」とか、パンクを好きな人にとってクラッシュは踏み絵のようになっていることが多くて。例えばセックス・ピストルズは活動期間も短いしセンセーショナルな行動を続けた上で解散するし、メンバーも亡くなるし、いわゆるパンクのパブリックイメージを持っていますよね。でもクラッシュはわりと無様なところまで活動を続けて、駄作を残して解散している。パンクとしてはもってのほかじゃないですか。だからこそ「クラッシュはパンクじゃない」っていう人にもいっぱい出会ってきたし。だけど「クラッシュはセカンドまでだよね」的なところで語られてもクラッシュ・ファンは増えないなと思って。だから「クラッシュ好きです」と言われたときには「クラッシュ最高だよね！」とだけ返しています。

　パンクだとかパンクじゃないとか、なるべくクラッシュに否定的なイメージ

を持ってもらわないようにしたいんです。偏見なしにもっと聴いてほしいんですよ。ぼくにはクラッシュに対して面倒くさいことを言う大人には絶対にならないという使命感のようなものがあるんですよ。

高橋浩司のフェイバリットアルバム『サンディニスタ!』

フェイバリットソング「ヒッツヴィルU.K.」

112　　　　　　　　　　第2章：シングル編

初心者にまず聴いてほしいアルバム『ロンドン・コーリング』

高橋浩司が選ぶザ・クラッシュの10曲

01. Hitsville U.K.

02. I'm Not Down

03. (White Man) In Hammersmith Palais

04. Spanish Bombs

05. Clampdown

06. Lost in the Supermarket

07. Clash City Rockers

08. Complete Control

09. Stay Free

10. Let's Go Crazy

第3章：グッズ＆アパレル編

　　レコード収集の次の段階として、洋服屋さんに行ったときにザ・クラッシュのピンバッジが売っていたら買う、Tシャツを売っていたら買う、古本屋さんに行ったときにクラッシュが載っている当時の雑誌が出ていたら買う、その繰り返しになりました。

　　当時のクラッシュのものって今ほどプレミアがついてなかったんです。バッジも300円くらいで買えたし、Tシャツも2500円くらい。今でこそ高値がついているTシャツとかも3000円くらいで売っていたので、普通に洋服を選ぶように「かっこいいから買う」という感覚で買えたんですよね。

　　アパレルを集めるようになったのはagnès b.のTシャツがきっかけですね。ぼくが大学の頃、agnès b.が流行っていて。そのagnès b.がクラッシュのTシャツを出したときにすごく感動した記憶がありますね。もしかしたらクラッシュという存在自体が世界的にかっこいいとされてるんじゃないかと。当時はコレクターとして買うというよりもかっこいいから買うというのが前提にありました。

第3章：グッズ＆アパレル編

ジョー・ストラマーのレプリカ・ギター
　　ぼくが持っていたジョー・ストラマー・モデルの
テレキャスターをRALEIGHのTAKA5H1くんがジョー・ス
トラマーのギターそっくりに改造してくれました。

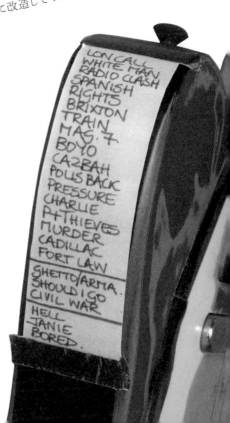

LON CALL
WHITE MAN
RADIO CLASH
SPANISH
RIGHTS
BRIXTON
TRAIN
MAG. 7
BOYO
CA2BAH
POLIS BACK
PRESSURE
CHARLIE
P. THIEVES
MURDER
CADILLAC
FORT LAW
GHETTO/ARMA.
SHOULD I GO
CIVIL WAR.
HELL
JANIE
BORED.

1982年1月29日・中野サンプラザ公演のチケットとパンフ

　これは行けなかったからこそ手に入れたかったザ・クラッシュの日本公演のチケットとパンフレットです。この当時のライブを見に行った人がいるんですよね。ぼくはお守りとしてよくこのチケットを眺めています。

「ヒッツヴィルU.K.」の広告

　　ぼくはクラッシュの曲のなかで「ヒッツヴィルU.K.」が一番好きなんですけど、これはその「ヒッツヴィルU.K.」がリリースされたときの当時の新聞広告です。どうしても手に入れたくて、リリースの年月日はわかるので、とりあえずそのあたりの月の海外の音楽誌を全部買いました。必ずあるはずだと思って。そうやってNMEで見つけた広告を自分で額装しました。「ヒッツヴィルU.K.」の広告は絶対にかっこいいだろうと思っていたらやっぱりかっこよかったですね。ぼくのSNSのアカウント名がhitsvilleukなので持っていないと失礼にあたりますからね（笑）。

ジョー・ストラマーのフィギュア

　　ジョー・ストラマーの最期の2年間を捉えたドキュメンタリー映画『レッツ・ロック・アゲイン！』が公開されたときに、吉祥寺バウスシアターで買いました。これはまだ封が開けられないんですよ。右側はSuper 7社のフィギュアです。似てません。

ジョー・ストラマーのおもちゃのミニギター

これはジョー・ストラマーのギターをおもちゃにしたものです。海外のサイトで見つけたのかな。傷の感じとか背面の感じも完全に本当に細かく再現されているんですよね。出どころはよくわからないですけど、完成度は高いです。

ミック・ジョーンズのサイン

　この色紙は、当時クラッシュの追っかけをしていた人が「そんなにクラッシュが好きならあげる」と言って譲ってくれました。ミック・ジョーンズ、ザ・クラッシュって書いてあるのはなかなかレアじゃないかと。その人は来日公演を追いかけているときにもらったみたいですね。そんなに好きならぼくが持っていたほうがいいと言って、写真とかも一緒に送ってくれて。「好き」って言っておくもんだなあと思いましたね（笑）。こういうこと、けっこうあるんですよね。

ザ・クラッシュのサイン

　これは海外のオークションサイトで買ったサイン入りのドラムヘッドです。本物のサインだと信じています（笑）。

『動乱』のジャケットのオマージュ元となったポストカード

　このポストカードを見つけたときはちょっとしびれましたね。知り合いが教えてくれたんですけど、「こんなのあるんだ？」って。こういうものがあるからポストカードを集めるのもやめられない（笑）。

「ハマースミス宮殿の白人」のレーベルの
オマージュ元となった『TIME』誌の表紙とシングル盤

バッジ

　クラッシュのバッジはデザインがいいんですよ。買ってはこのケースに入れて、買っては入れての繰り返しでけっこうな数になりました。

ステッカー

　バッジ同様なかにはオフィシャルなのかブートなのか謎なものもあります

が、ステッカーも見つけたら買っています。

ジグソーパズル

これは2ndアルバムのジャケットと、2ndアルバム収録の曲に特化したパズルです。いつか組み立てようとは思いつつ、まだ開封してないんですよ。

ジュークボックスのソングカード

ついにこういうものも集めるようになってしまいました。これはジュークボックスで曲を選ぶときのカードですね。どこかに古いジュークボックスがあって、「昔はクラッシュの曲もあったんじゃないかな」と思いついてジュークボックス／ソングカード、とか適当に検索してみたらイーベイにあったんですよ。これは持っておきたいなと。ソングカードをきっかけにジュークボックス用のアイテムが他にもあるんじゃないかと探しています。

THE CLASH
BEFORE & AFTER
PHOTOGRAPHS
BY PENNIE SMITH

WITH PASSING COMMENTS BY JOE STRUMMER,
MICK JONES, PAUL SIMONON AND TOPPER HEADON

クラッシュ写真集

　　ペニー・スミスが撮った写真集です。これでクラッシュによりハマった人
も多かったはず。それくらい完璧にかっこいい決定的な写真集ですね。彼ら
のアルバムを聴くことと、この写真集を見ることの意義は同じなんです。

ザ・クラッシュが表紙の海外の雑誌

　　海外で発売された、クラッシュ表紙の雑誌も集め続けているんですけど、なかにはロバート・フリップとジョー・ストラマーの対談とか面白いのがあるんですよ。雑誌を探すときには「クラッシュ、マガジン」でイーベイを検索するんです。そうすると各国のものがずらっと出てくる。うっかり被って買ってしまうこともあるんですけど、そのときは保存用として考えるようにしています（笑）。

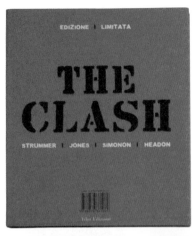

ザ・クラッシュ『ザ・クラッシュ コンプリート・ワークス』

　　当時の写真やバイオグラフィー、クラッシュの歴史が載っている、本人たちが監修した本で、これはその各国版です。一番大きいのがオリジナルのUK版で、スペイン版には星がデザインされていたり、内容は同じだけどデザインが違います。だから何だよと言われればそれまでなんですけど（笑）、どうせなら各国版を持ってないとよくないかなと思って集めました。ここにあるのはイギリス、スペイン、イタリア、ドイツ、日本版ですね。イギリスのオリジナルは大きすぎたのか、あとからペーパーバック版も出てますね。

ボブ・グルーエン撮影による写真集

　　これはボブ・グルーエンが出したクラッシュの写真集なんですけど、まあ
これがコレクター泣かせというか、いろんな形で出ているんですよ。各国で
表紙も判型も違うので買わざるを得ない。3000部限定のバージョン、その廉
価版なんだけどフォトグラフィーセットが付いているバージョン、サイン入りの
プリントが付属しているバージョン、1250部限定のバージョン……。とくにこの
4冊はけっこうな金額でしたね。たしか海外のアマゾンで買ったと思います。
送料もかかりますけど、そういう痛手を追わないと手に入らない場合もある。
こればかりは仕方がないですね。

ポール・シムノンの画集『WOT NO BIKE』

　中身はすべてポール・シムノンが描いています。今ではかなりのプレミアがついているみたいで、2014年当時よりはるかに高い値段になっていてびっくりしました。もし彼が個展で来日することがあれば、この画集を持って行って「to KOJI」とサインをしてほしいなと思っています。それともこの画集はそのまま取っておいて、他のものにサインしてもらおうかな（笑）。

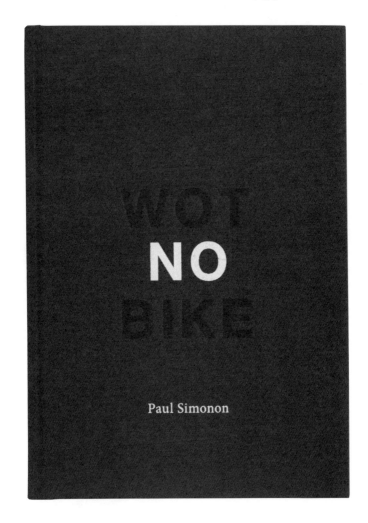

コードブック

　クラッシュのコードブックなのですが、それとは思えないほどデザイン重視のかっこいいレア本です。

ポストカード

　これは30年くらいかけて集めた世界各国のポストカードです。けっこうい
い写真がありますね。なかにはハービー・山口さんが撮影したポストカードも
ありますね。

ザ・クラッシュファン必見の映画

『マネーボール』(2011年)：これはブラッド・ピット主演でブラッド・ピットが野球のオーナー役で出演しているんですけど、常にオーナー室にはザ・クラッシュのポスターが貼ってある。しかも、他の部屋にも貼ってあるんですよ。クラッシュ・ファンということがあふれているというか、クラッシュに対する主人公の熱量がすごいんですよね。

『CODE46』(2003年)：これはSF映画なんですけど、ワンシーンでなぜかミック・ジョーンズが「Should I Stay or Should I Go」をカラオケボックスみたいなところで歌うシーンが入っています。ファンが見たら楽しいかもしれないですね。ぼくは映画が好きでけっこういろいろな作品を見ているんですけど、偶然見つけて驚きました。

『キング・オブ・コメディ』(1983年)：これは単純にクラッシュがエキストラ出演しているという。当時クラッシュがNYにいるときに映画のロケがあって、監督のマーティン・スコセッシから「ちょっと出てくれないか」と言われて出演したんですよね。雑踏のなかにメンバーやファミリーが一瞬だけ映っているんです。何度も巻き戻して見ましたね。

『Ladies and Gentlemen, The Fabulous Stains』(1982年)：これは日本公開はされていない音楽映画ですね。架空のバンドが出てきて、そのメンバーが俳優のレイ・ウィンストンとスティーヴ・ジョーンズ、ポール・クック、ポール・シムノンなんです。ボーカルは違うんですけどピストルズとクラッシュのメンバーでバンドを組んでいるという。で、彼らの曲がけっこうかっこいいんですよ。楽しいのでぜひ見てほしいですね。

『London Town』(2016年)：これは見なくていい映画です。クラッシュの物語なんですが、クラッシュのメンバーを俳優が演じています。バンドを通じて若者が成長していくという内容なんですけど、ひどいです（笑）。時代考証がめちゃくちゃなんですよ。音楽映画で一番ダメなやつですよね。この曲を演奏しているのにこの衣装は着てないよとか。これは悪い例として紹介しておきます。

「ザ・クラッシュ・ロンドン・コーリング展」サウンドトラック・アルバム

　　2019年にロンドン博物館で「ザ・クラッシュ・ロンドン・コーリング展」
が開催されたときのサントラ盤です。ミック・ジョーンズが音楽を担当してい
るんですけど、ジャケットは映画『南太平洋』のサントラのオマージュになっ
ています。

映画『ルード・ボーイ』のVHS

　クラッシュが出演した『ルード・ボーイ』のVHSのジャケ違いです。こうし
て見ると日本のVHSが圧倒的にかっこいいですね。アメリカ版は少し大きい。
ドラッグのシーンとかもあるからか、イギリスでは18禁のマークが付いていま
す。2017年に主役のレイ・ゲンジが来日したときパンフレットにサインをもらい
ました。「(映画を) 当時見に行ったのか？」と訊かれたので「見に行きまし
た」とこたえたら、「俺はかっこよかったか？」と言うので「すごくかっこよか
った。でもダメな人でしたね」と伝えたら、大笑いしていましたね。

S.Muto 2019

武藤昭平が描いたジョー・ストラマー

　「勝手にしやがれ」の武藤昭平くんによるジョー・ストラマーの絵です。
ぼくが心からリスペクトしているアーティストがジョーを描く。絶対に欲しかっ
た作品ですね。友情の証として武藤くんのXのアイコンは画力ゼロのぼくが描
いています（笑）。世界にひとつだけのアイテムですね。

一点モノのセーター

　こちらも世界にひとつだけのアイテムです。「編み物☆堀ノ内」さんに作ってもらった一点モノのセーターです。これ以上のコレクターズアイテムがあるでしょうか（笑）。まさに一生ものです。元のデザインは43ページに掲載した『ロンドン・コーリング』の広告です。

agnès b. ジャケットとTシャツ

　　当時はアパレルブランドとバンドとのコラボレーションはまだ珍しかったと
思うんですよね。そんな時代にこのagnès b.とコラボしたジャケットとTシャツが
出たんです。ぼくがアパレルのグッズを集め始めるきっかけにもなりました。
ただ、この2つに関してはコレクションするというよりも、純粋にかっこいいか
ら買いました。だから思い入れもありますね。

「The Only Band That Matters」Tシャツ

　このＴシャツも好きですね。「The Only Band That Matters」……「他にい
ないバンド」と書いてあるのがかっこいいですね。オフィシャルのＴシャツです。

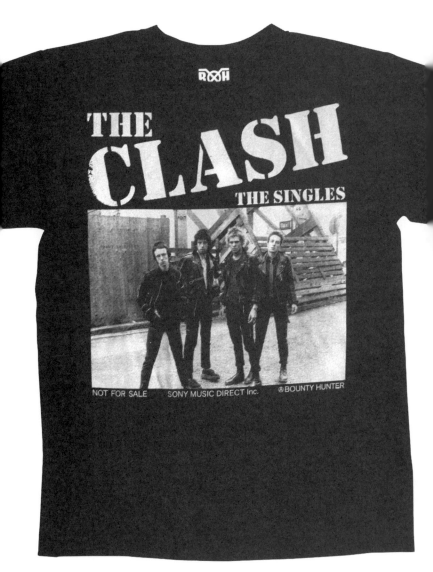

『ザ・シングルズ』プロモーション用Tシャツ

　　　『ザ・シングルズ』が発売されたときのプロモーション用のTシャツです。
レコード会社と BOUNTY HUNTER によるものですね。

『カット・ザ・クラップ』Tシャツ

　　『カット・ザ・クラップ』はアルバムとしては駄作と言われているのに、T
シャツはクラッシュのなかでも秀逸なんですよ。Tシャツにしてもポスターにして
も『カット・ザ・クラップ』まわりのグッズはとくにかっこいいデザインのもの
が多いです。ぼくが25年前くらいにこのTシャツを買ったときは7,000円くらい
だったと思います。

ミック・ジョーンズTシャツ

　　ぼくが持っているクラッシュのTシャツのなかでも一番レアじゃないかと思うのが、このミック・ジョーンズのTシャツですね。シングルのジャケットですね。クラッシュのものを見つけたら買うというモードに入っていた時期に見つけたんですけど、それ以来見かけたことはないです。

「コスト・オブ・リヴィング EP」バーコード T シャツ

　　「ファンが見たらわかる」という T シャツもけっこう集めていて、これは
1979 年にリリースされた 4 曲入りの 7 インチ「コスト・オブ・リヴィング EP」の
左下部分のバーコードを拡大した T シャツになっています。オフィシャルかどう
かは別として、こういうものを見つけると嬉しくなっちゃうんですよね。

レイ・ローリー作イラストTシャツ

　　これは『ロンドン・コーリング』のジャケットを手がけたレイ・ローリーが

クラッシュを描いたTシャツです。2000年くらいのものだったかと思います。

「ガンズ・オブ・ブリクストン」リリックTシャツ

　　これはクラッシュという文字はどこにもないけれど、「ガンズ・オブ・ブリ
クストン（ブリクストンの銃）」の歌詞がデザインされているんです。クラッシュと
いう言葉を使わなくてもクラッシュを感じることができるTシャツですね。歌詞
や曲のタイトルなど、クラッシュはデザインの雛形としていろいろなグッズに応
用できるネタをたくさん持っているんですよね。

ハバナ3AM Tシャツ

　ポール・シムノンのハバナ3AMのTシャツですね。クラッシュが解散して
からのものです。

ビッグ・オーディオ・ダイナマイトTシャツ

　こちらはミック・ジョーンズのビッグ・オーディオ・ダイナマイトのTシャツ
です。

ジョー・ストラマーTシャツ

　　これはジョー・ストラマーのTシャツですね。様になっていますよね。

ジョー・ストラマー マラソンTシャツ

　　ジョー・ストラマーが1983年にクラッシュTシャツを着てロンドン・マラソンに出場して40年。それを記念したTシャツです。2種類ともジョーのオフィシャルサイトで購入しました。こんなTシャツですらかっこいいなんてクラッシュ恐るべしです。

「Hate＆War」Tシャツ

　　これは「Hate＆War」という言葉だけでクラッシュを表しているTシャツで
すね。

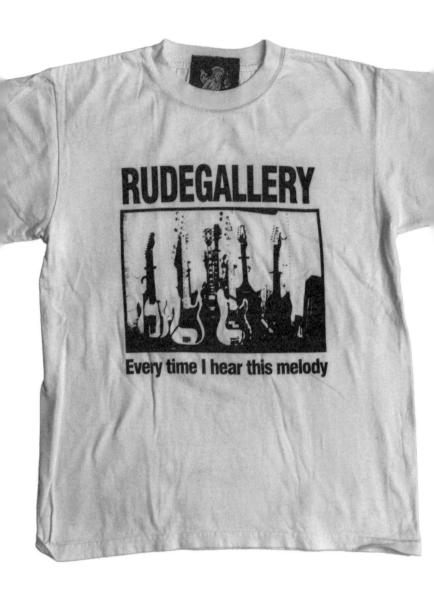

RUDE GALLERY Tシャツ

　これはRUDE GALLERYが制作した、クラッシュの写真集のなかの1枚を使ったTシャツですね。メンバーが使っていた楽器がデザインされたものです。

BOUNTY HUNTER Tシャツ

　これはBOUNTY HUNTERとクラッシュとのコラボレーションTシャツです。
全部で5種類あります。いずれも非売品です。

ジョー・ストラマー フォトTシャツ

　このTシャツはすごくお気に入りの1枚です。1980年の写真が使われていて、2000年代にオフィシャルで発売されました。その頃に作られたTシャツのなかでは秀逸なデザインですよね。

「This is CLUB CLASH」Tシャツ

　これはぼくが主催していたDJイベント「This is CLUB CLASH」のTシャツです。ジョー・ストラマーの追悼イベントのときに作りました。

映画『ストレート・トゥ・ヘル』×BEAMS Tシャツ

　　これはアレックス・コックス監督作『ストレート・トゥ・ヘル』とBEAMSと
のコラボレーションですね。ジョー・ストラマーが出演しているから集めまし
た。5パターンあって、こうしたTシャツは全型揃わないと、ぼくにとっては持
っている意味がないんです。

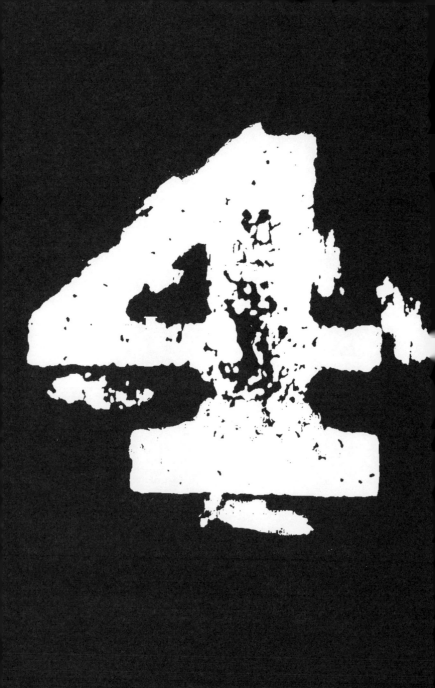

第4章：ポスター編

　貼るのがもったいないくらいにかっこいいポスター。貼られるためにある
ポスターにすら、そんな思いを抱かせてしまうクラッシュ。そんな彼らのすご
さを一番感じさせるアイテムは間違いなく彼らのポスターだと思います。『サン
ディニスタ!』『ブラック・マーケット・クラッシュ』のかっこよさと言ったら!
というわけで、部屋の広さを無視したポスターが集められるわけです。ポスタ
ーという性質上、なかなか美品が出にくく、単価が一番高いモノではありま
す。一番価格に対する感覚が麻痺するのもこのジャンルです（笑）。

『サンディニスタ!』サブウェイ・ポスター

　　世界的に美品が少なく、めったにお目にかかれない貴重なポスターです。
地下鉄の駅に貼ってあったのではないでしょうか。

『サンディニスタ!』宣伝用ポスター

1981年5月12日ハンブルク公演ポスター

　　大きく「LONDON CALLING」と書いてありますが、ポスターの写真を見れ
ばわかる通り『サンディニスタ!』のツアーです。

1981年5月28日～6月3日 ニューヨーク公演ポスター

　1981年5月28日～6月3日と5日にNYボンド・インターナショナル・カジノ
で行われた公演のポスターです。主催者が1750人のキャパシティに対して
3500枚を販売し、あふれたファンの対応に追われたNY市消防局が5月30日
の公演を中止させるという事態になりました。クラッシュは見られなかったファ
ンのために同会場で17回の公演を行いました。

『コンバット・ロック』宣伝用ポスター

『コンバット・ロック』宣伝用ポスター

『クラッシュ・オン・ブロードウェイ』宣伝用ポスター

『ライブ・クラッシュ』宣伝用ポスター

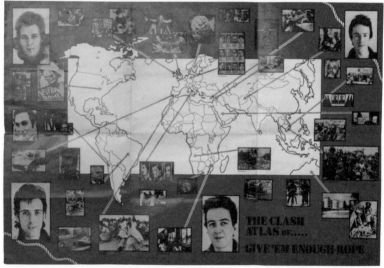

『動乱』プロモーション用ポスター

『シングルズ』宣伝用ポスター

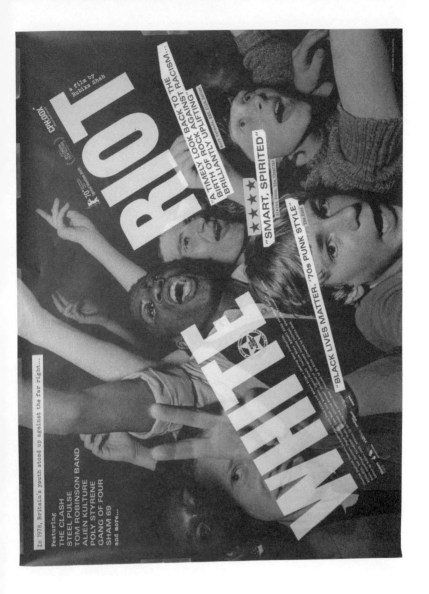

映画『白い暴動』フランス版ポスター

　2019年に製作された「ロック・アゲインスト・レイシズム」を扱ったドキュメンタリー映画です。ザ・クラッシュやスティール・パルスが出演しています。

映画『REBEL DREAD』ポスター

　2022年に公開されたドン・レッツのドキュメンタリー映画のポスターです。ドン・レッツは『ブラック・マーケット・クラッシュ』のジャケットにもなった人で、のちにミック・ジョーンズのビッグ・オーディオ・ダイナマイトにも参加しました。この映画にはミック・ジョーンズやジョン・ライドンが出演しています。

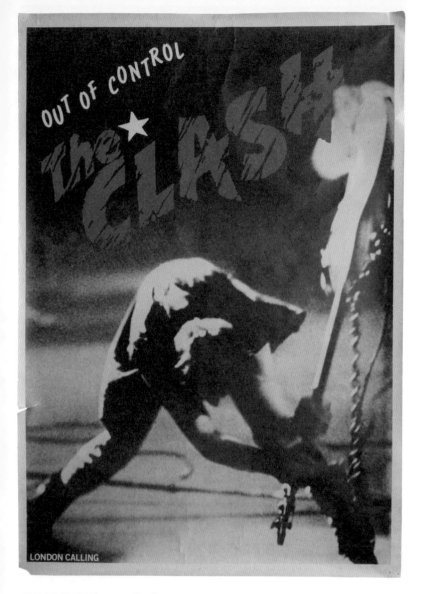

OUT OF CONTROL ツアーポスター

　デザインは『ロンドン・コーリング』のジャケットですが、『カット・ザ・ク
ラップ』のときの「OUT OF CONTROL」ツアーのポスターです。

『ブラック・マーケット・クラッシュ』宣伝用ポスター

　1981年3月1日にリリースされた10インチアナログ盤『ブラック・マーケット・クラッシュ』リリース時のポスターです。

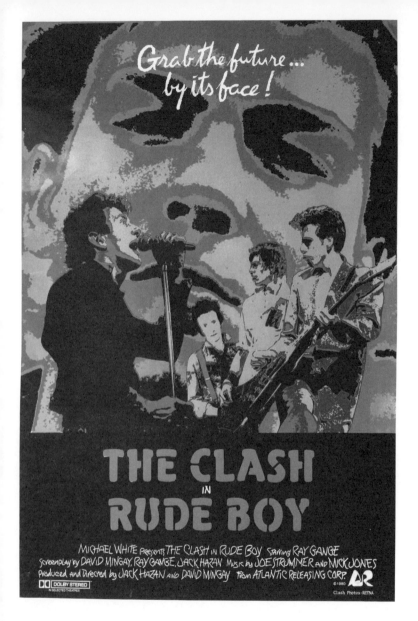

映画『ルード・ボーイ』ポスター

第5章：ザ・クラッシュ文化の継承

　2000年くらいにザ・クラッシュのDJイベント「This is CLUB CLASH」を始め
ました。クラッシュを好きな人がまわりに多かったので、クラッシュのカバーバ
ンドが出てオールナイトでクラッシュの曲や彼らがカバーした曲、影響を受け
た曲をかけるイベントをやったらかっこいいよねという話を仲間内でしていて、
それで下北沢のQueでやってみたんです。そうしたら1回目からめちゃくちゃ人
が入ってくれて。そのときはチバユウスケくんがDJをしてくれました。ちょうどク
ラッシュ・コミュニティが大きくなってきていた頃だったんですよ。こんなに人
が集まるんだったら続けてやってみようかなと思って、年に3回くらいは開催
していました。ナンバーガールをやっていた中尾憲太郎にもカバーバンドを組
んでもらったり、ストラマーズの岩田（美生）さんに出てもらったりしていまし
たね。

　そして忘れもしない2001年11月5日のDJイベントにジョー・ストラマーが
遊びに来てくれたんです。2度目のソロ来日のときでした。

最初のソロ来日のときはジョー・ストラマーの楽屋待ちをしていたのでイベントをやる余裕がなかったんですよ（笑）。ジョー・ストラマーは自分を待っている人全員と話をしてくれるんです。ファンが新宿リキッドルームの階段に7階から1階くらいまでずーっと並んでいましたね。楽屋の入り口にジョー・ストラマーがいて順番にひとりずつ話していくという感じだったんです。ぼくは「あなたによって人生がいい方向に変わりました」と言ったんじゃないかな。そうしたら「サンキュー」と言ってくれたと思いますね。「ああ、ついに会えたなあ」と思って。

　ジョー・ストラマー＆ザ・メスカレロスが来日したときにはメンバー全員のサインをもらいました。HMVでサイン会があったんです。サイン会にはコアなファンが来ていましたね。ぼくももうその頃は会えるタイミングはすべて行っていたので、財布でもなんでも手当たり次第にサインをもらってたんですよ。そのたびに「to KOJI」と書いてもらって。しまいには「またお前か」とジョーに言われてました（笑）。

　1回目の来日のときは会う満足感だけで十分だったんですけど、2001年のときには、ジョー・ストラマーのライブを見に行ったお客さんがDJイベントにそのまま来られるようにしたら盛り上がるだろうな、すごくいいだろうなと思って、ジョー・ストラマーのライブに合わせて11月2日に東京で、5日に大阪でDJイベントをやりました。

　HMVでのサイン会のときにまずフライヤーを渡して「これはあなたをリスペクトしているイベントだからよかったら来てくれませんか？」と伝えました。今考えるとよく言えたなと思うんですけど、「楽しそうだな」と言ってくれて。そのときは社交辞令だったと思うんですけどね。

　ジョー・ストラマーはスマッシュが招聘していて、当時、PEALOUTのイベンターもスマッシュだったので大阪公演を見に行かせてもらえたんです。このとき楽屋にも入れてもらえて、そこでもフライヤーを渡したんです。「また来た」みたいな（笑）。ジョー・ストラマーもさすがにこのフライヤーを覚えていて「Oh, I remember」みたいなことを言って（笑）。それで「これはあなたをリスペクトしているイベントだから」ってまた同じことを伝えたんですよ（笑）。それも「I remember」と言ってくれて。「よかったらイベントに来てくれません

か？　みんな喜ぶと思います」という英語を用意していたので、それを伝えて。そうしたらジョー・ストラマーがしばらく考えて「じゃあ疲れてなかったら行くよ」って言ってくれたんです。「だけど約束はできないよ」と。社交辞令でも行くって言ってくれるなんて嬉しいなと思ったんですけど……本当にジョーは来てくれたんです。

　イベントは大阪のクラブ・カーマというところでやっていて、24時とか25時過ぎくらいですかね、お店の人が「ジョー・ストラマーさん、来ました」って、ぼくのところに言いに来たんです。「え、どういうことだろう？」と。あまりにすごいことなので最初ピンとこなくて。ぱっと見たら入り口にジョーがいて「約束だから来た」と。そのとき、ぼくはあまりに衝撃的すぎて泣いちゃったんですね。

　ジョーが「お前が主催者か？」と言うので「そうです」と言ったら「今から入るけど、疲れているからサインはできないとお客さんに伝えてくれ。その代わり写真は撮るから、遠慮なく言ってくれ」と。それを今からお前がアナウンスしろと。「わかりました！」と言って、ぼくはフロアに向かって「とんでもないことが起こりました！　今、ジョー・ストラマーが来ました！」と口にした瞬間、フロアがウォーッ！となって。そのときは100人以上がまだ残っていたんですよ。ちょうどミッシェル・ガン・エレファントの大阪公演が翌日にあったので、ミッシェルのお客さんもいましたね。それからミッシェルのメンバーもいたんですよ。チバくんは眠いから帰ると言ってもう帰っていたんですけど、ウエノ（コウジ）くんはいましたね。

　ジョーがやって来たのはちょうどぼくがDJをやる出番の時間だったんです。ジョー・ストラマーがぼくのすぐ近くの椅子に座って見ているなか、手を震わせながらクラッシュの曲をかけました。「ロスト・イン・スーパー・マーケット」が好きなんだけど、ミック・ジョーンズの曲だもんなあと思いながらもかけたりして（笑）。でもジョーは楽しんでくれてました。目の前でクラッシュの曲でのったりしてくれて。「なんか、これ、夢みたいだなあ」って。

　その後、ジョーはフロアのなかを歩き回って、いろんな人と飲んだり喋ったりして写真も撮って。みんなとハグしたり、すごく和気あいあいとしていたんです。めちゃくちゃいい雰囲気でしたね。最後のひとりが帰るまでジョーは

残っていたんですよ。お店の人がモップをかけ始めてもまだジョー・ストラマーがいるもんだからお店の人から「帰ってください」って言われたり（笑）。最後はすごく酔っていたから、マネージャーさんか誰かが迎えにきたように思います。そこだけ記憶が定かじゃないんですけど見送ったのは覚えていますね。外は完全に明るくなっていて、千鳥足のジョー・ストラマーが帰って行くのを見送りました。

あのときDJをやっていた仲間と会うと「俺、ジョー・ストラマーと連れションしたんだよな」とかいう話になるんですよ。トイレも普通に入っていたから一緒に用を足すというあり得ないシチュエーションがあのフロアのなかにはあって（笑）。

おそらくジョー・ストラマーは世界中でこんなふうにファンと気軽に交流してきたんだろうなと思うんですよ。たぶん日本だけじゃなくて、分け隔てなく世界中でこういうことをしていたんだろうなと思うんですよね。それを思うと感動しますよね。

このイベントのわずか1年後の2002年12月22日にジョー・ストラマーは他界するんです。友達から「ジョー・ストラマーが亡くなったらしいよ」と電話がかかってきて。ぼくは電話口で泣いたんじゃなかったかな。その日の夜は酔いつぶれました。お酒を飲めないのに。飲めないのにシラフでいられないというのはこういうことかと思いましたね。1年前のDJイベントのことがあったから、勝手にジョーのことを身近に感じていたので余計に悲しかったというか。

ジョー・ストラマーが亡くなったとき、何か追悼イベントをやりたいなと思っていたんです。それで翌年の2月18日に「This is CLUB CLASH」のスペシャルとして「THANKS JOE STRUMMER」というイベントを開いたんです。感謝の意味を込めて、手作りでフライヤーも作って。クラッシュを好きなミュージシャン全員に声をかけたらかなりの人数が出てくれて、それぞれにその日だけのクラッシュのカバーバンドをやってもらったんです。

ちょうどその頃、ジョー・ストラマーの森ができるという話を聞いていたんですよ。当時はCDをまだたくさんプレスしている時期だったから、CO_2がけっこう排出されるということで、その二酸化炭素を吸収するにはどうすればい

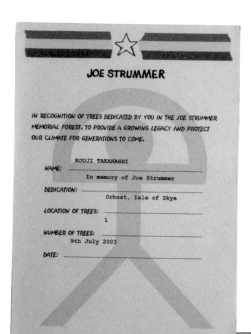

JOE STRUMMER

IN RECOGNITION OF TREES DEDICATED BY YOU IN THE JOE STRUMMER
MEMORIAL FOREST, TO PROVIDE A GROWING LEGACY AND PROTECT
OUR CLIMATE FOR GENERATIONS TO COME.

NAME:
KOUJI TAKAHASHI

DEDICATION:
In memory of Joe Strummer

LOCATION OF TREES:
Orbost, Isle of Skye

NUMBER OF TREES:
1

DATE:
9th July 2003

futureforests

YOUR FUTURE FORESTS SITE MAP
ORBOST ISLE OF SKYE

Orbost
Hidden away on the shores of Loch Bracadale, North West Skye, this beautiful site is being recreated into a forest of native broadleaves. Interspersed within the greenery lie areas of archaeological interest, mainly ancient crafting infrastructures, which the forest will help to protect from the elements.

Overshadowed by the majestic McLeod's Table, Orbost will provide a home to hundreds of species of wildlife, including otters, red deer, foxes, and a haven to the increasingly threatened nesting sea-eagle. A popular local walk travels the scenic route from Orbost to the nearby sea-stacks known as McLeod's Maidens.

As a community woodland, planting at Orbost has generated a huge amount of local enthusiasm and will be carried out by the Orbost Trust, comprised of residents of the local area. Species planted here will be predominantly birch, oak, rowan, alder and willow, with some woody shrubs in-between.

Directions
From Dunvegan follow the A863 south for 1/2 a mile. Turn right onto the 884x and follow for 1/2 mile. Turn left to Orbost (signposted), and follow for 2 miles. Park in the yard and follow on foot the track to Bharcasaig, then continue south to the site.

futureforests

「Joe Strummer Memorial Forest」の証書

185

いかというと、森を作ればいいというジョーの発案でスコットランドのスカイ島に「Joe Strummer Memorial Forest」というジョーの森ができたんです。そこで、その日のイベントの収益でジョー・ストラマーの木を買おうという話になって。イベントの収益がたしか100万円くらいになったんですけど、出演者全員が賛同してくれて、1人ずつ木を買いました。そのときに森を管理している財団から「あなたの森の位置はここですよ」という証書と地図が送られてきました。

このイベントのスペシャル版で最終的にジョーの森の木が買えたのは、終着点としてはある意味最高だったと思いますね。最初はただクラッシュの曲をかけるDJイベントとしてファンが楽しめればいいねという内輪ノリで始まったんですけど、ちゃんと形として残せたというか。

クラッシュの日本盤や全面帯とかコピーを手がけた野中規雄さんというディレクターがいて、2023年8月に亡くなってしまったんですけど、野中さんはクラッシュが最高すぎて他のどんなバンドを見ても最高だと思えなくなったと言って、クラッシュを最後にディレクターを辞められた方なんですよ。その気持ちに通じるというか、ぼくも「This is CLUB CLASH」というイベントをやってきて、ジョーが亡くなって、追悼イベントでジョーの木を買って木を植えたことで、ひとつ形になったというか。もうこういうイベントをやる気が起こらなくなってしまったんですよね。クラッシュって、ひとつのことに集中させるエネルギーをもっている、燃え尽きさせる罪なバンドなんですよね。そんなふうに空っぽにさせるくらいの威力があるバンドなんです。

ただモノを集める熱意は消えないんですよね。『「at武道館」をつくった男―ディレクター野中と洋楽ロック黄金時代』(和久井光司・著)にサインをもらったときに、「わかる人に思いを伝えましょう」と野中さんが書いてくれたんです。ぼくがクラッシュのレコードやグッズを集めているのはこういうことかなと、野中さんと話していても思いましたね。

スカイ島に行くにはけっこう大変らしいんですけど、行けば自分たちの木を見られるみたいですね。当時、100本くらい買って植えているので、森とはいかないまでも相当大きくなったんじゃないかな。これがぼくのなかで一番のコレクションかもしれない。いつかその森を見に行くことがぼくの夢ですね。

ジョーが亡くなってからコレクションにさらに拍車がかかりました。このと

HMVでもらったジョー・ストラマー＆ザ・メスカレロスのサイン色紙

チケットや財布にもらったジョー・ストラマーのサインの数々

きからコレクションというよりもクラッシュの文化を継承しようと決めたんです。

　ザ・クラッシュはひとつの文化だと思うんですよ。人とのつながりはひとつのクラッシュ・コミュニティと言っていいと思います。そのコミュニティに関わるものを次の世代に伝えないといけないんじゃないかと思ったんです。こういうかっこいいバンドがいて、こういうかっこいいモノを世の中に出し続けて、常にこういうアティチュードで活動して、そのアティチュードを表すかのように2枚組のレコードを1枚の値段でリリースしたりとか、そういった彼らの行動をクラッシュのアイテムやモノを通して伝えていこうと思いました。そう思った瞬間、コレクションにむちゃくちゃ拍車がかかりました。

　クラッシュのレコードの各国盤を集めているのも、例えばペルー盤を見たら「ペルーにもクラッシュが好きな人がいたんだ」ということがわかりますよね。レコードに貼られたステッカーはクラッシュが極力レコードを安く売ってきたことを物語っています。実際にそうやってモノがひとつのメッセージになっているんです。

　同時に、その価値をわかっている人間がそのモノを持つべきだと思っています。だから持っているクラッシュ以外のアーティストのレコードも前までは売らなかったんですけど、その考えになってからバンバン売るようになりました。例えばニルヴァーナのレコードも日本盤とかあったんですけど、これはニルヴァーナが本当に好きな人が持つべきだなと思って売りました。そういうふうな考えになってから、オルタナのレコードとかも気持ちよく売ることができましたね。そのお金でクラッシュのモノを集めています。

　それからこれはぼくのモノですけどみんなのモノという意識があるんです。この次に誰が持つかということまでふくめた上での集める行為というか。次の世代にクラッシュという文化を渡すためにひとまとめにしておくというか。次の人が一気に持てるようにバラバラになっているものをひとつに集めようとしているんです。自分はもう55歳になるから、これを誰に譲ろうかということを考えていたほうがいいなと最近思っていますね。価値がわかる人に渡したいですね。そうやってクラッシュの文化を継承していきたいんです。

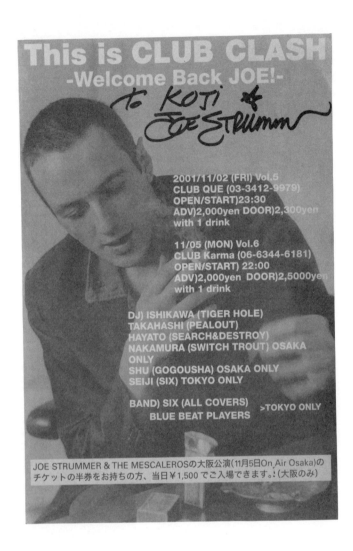

ジョー・ストラマーがやって来たDJイベントのフライヤー

第5章：ザ・クラッシュ文化の継承

英国の海賊ラジオステーション、Dread Broadcast Corporation の Rebel Radio 103.8 MHZ にて 1982 年 4 月 21 日、一夜限りの「Radio Clash」がオンエアされました。最後にこの番組のプレイリストを掲載します。ぼくたちがザ・クラッシュの音楽を愛したようにザ・クラッシュが愛した音楽があります。選曲と DJ はジョー・ストラマーとポール・シムノンです。

La Resa Dei Conti - Ennio Morricone

Cuss Cuss - Lloyd Robinson

Hold Them - Prince Buster

Heart Don't Leap - Dennis Walks

Out Of Sight - James Brown

Mexico - Lee Dorsey

Brand New Cadillac - Vince Taylor

Help Out - Bo Diddley

This Is Radio Clash - The Clash

Radio One - Mikey Dread

Geronimo - The Pyramids

What Will You Mama Say - Clancy Eccles

Walking To New Orleans - Fats Domino

Blood On The Saddle - Tex Ritter

I Fought The Law - Bobby Fuller Four

Crawfish - Elvis Presley

Spanish Amigo - Dennis Alcapone

Run Run - Delroy Wilson

Chain Gang - Sam Cooke

Clean Up Woman - Betty Wright

Lights Out - Jerry Byrne

Brand New Automobile - Bobby Kingdom, The Blue Beats

Hijacked - Joe Gibbs All Stars

Harlem Nocturne - Earl Bostic

高橋浩司（たかはし・こうじ）

1967年12月4日東京都生まれ。幼少期、約1年ソビエト連邦にて過ごす。中学3年生の時の卒業記念イベントにて初ライブ。THE BEATLES の「抱きしめたい」と「シー・ラヴズ・ユー」を演奏する。1986年大学に入り、現 Swinging Popsicle の平田博信と MOTHERS というバンドで活動。SOUL SONIC FORCE を経て、1994年 PEALOUT 結成。11枚のシングルと10枚のアルバムをリリースし、2005年 FUJI ROCK FESTIVAL にて解散。その後、REVERSLOW、DQS、The Everything Breaks、SHINYA OE AND THE CUTTERS を経て、HARISS、TH eCOMMONS、下北スミス、PIGGY BANKS 等で現在も Drumming Man 継続中。THE CLASH と MANO NEGRA とジョージ・A・ロメロ監督の『ゾンビ』を愛す。人と人を繋げる事に何よりの喜びを感じます。

DONUT MOOK
ぼくはザ・クラッシュが好きすぎて世界中からアイテムを集めました。

2024年2月14日　初版
2024年3月15日　2版

著者＝高橋浩司

編集人＝秋元美乃
発行人＝森内淳
発行所＝有限会社スタジオ・エム・オー・ジー
〒 152-0023　東京都目黒区八雲 5-13-14-204
https://donutroll.tokyo/
info@studiomog.ne.jp

編集＝DONUT（秋元美乃／森内淳）
ブックデザイン＝山﨑将弘
撮影＝岩佐篤樹
印刷・製本＝モリモト印刷株式会社

定価：本体 1800 円＋税
ISBN978-4-905273-20-2
Printed in Japan